Phonothek intensiv

Aussprachetraining

Herausgeber:
Ursula Hirschfeld, Kerstin Reinke, Eberhard Stock

Autoren:
Ursula Hirschfeld, Christian Keßler, Barbara Langhoff, Kerstin Reinke,
Annemargret Sarnow, Lothar Schmidt, Eberhard Stock

Langenscheidt

Berlin · München · Wien · Zürich · New York

Phonothek intensiv

Aussprachetraining

Herausgeber:
Ursula Hirschfeld, Kerstin Reinke, Eberhard Stock

Autoren:
Ursula Hirschfeld, Christian Keßler, Barbara Langhoff, Kerstin Reinke, Annemargret Sarnow, Lothar Schmidt, Eberhard Stock

An der früheren Fassung des Materials „Phonothek – Deutsch als Fremdsprache“ waren als weitere Mitautorinnen beteiligt: Helga Dieling, Ruth-Brigitte Fredrich, Edith Schramm.

Phonothek intensiv

Arbeitsbuch	ISBN 978-3-468-49764-3
2 Audio-CDs	ISBN 978-3-468-49766-7

Zur Ergänzung empfehlen wir die CD-ROM **Phonothek interaktiv**: ISBN 978-3-468-49459-8

Printed in Germany
ISBN 978-3-468-49764-3

2. 3. 4. 5. * 11 10 09 08

Inhalt

Phonothek intensiv

Lehr- und Übungsmaterial zur Phonetik im Unterricht Deutsch als Fremdsprache

Einführung

Wer eine gute Aussprache hat, wird zu Recht bewundert. Er hat es leichter, an Gesprächen teilzunehmen; er wird gut verstanden und kann auch gut verstehen, weil (Aus-)Sprechen und Hören eng miteinander verbunden sind. Die **Phonothek intensiv** will Ihnen helfen, Aussprachefehler zu korrigieren und die richtige Verwendung der Intonation sowie eine korrekte Aussprache von Vokalen und Konsonanten im Kontext zu lernen. Sie werden Ihre sprachliche Kompetenz auch insgesamt erweitern.
Sie brauchen dafür etwas Zeit, Geduld und Energie. Aber es wird nicht langweilig und ermüdend sein, denn Sie erwartet ein unterhaltsames und abwechslungsreiches Material. Durch systematische und methodisch vielfältige Aufgaben wird ein intensives Üben möglich. Imitative und kognitive Elemente ergänzen sich; Wortschatz, Grammatik und Phonetik sind situations- und themenbezogen miteinander verknüpft.

Die **Phonothek intensiv** wendet sich an alle, die Interesse haben für
- den Klang der deutschen Sprache,
- Aussprachenormen und -varianten im Deutschen,
- Ausspracheregeln und phonetische Merkmale.

Die **Phonothek intensiv** festigt und systematisiert
- phonetisches Grundwissen,
- die Kenntnisse über die Laut-Buchstaben-Beziehungen im Deutschen,
- den Umgang mit der Transkription (IPA).

Die **Phonothek intensiv** unterstützt durch ein umfangreiches Übungsangebot
- die systematische Entwicklung von Hör- und Ausspracheferigkeiten,
- die richtige Verwendung der Intonation sowie die korrekte Aussprache von Vokalen und Konsonanten,
- die Entwicklung von Fertigkeiten im verstehenden Hören, im Lesen und Schreiben,
- die Erweiterung der sprachlich-kommunikativen Kompetenz.

Die **Phonothek intensiv**
- ist ein Material für Lernende und Lehrende im Fach Deutsch als Fremdsprache,
- basiert auf dem Zertifikatswortschatz,
- eignet sich für den Einsatz im Gruppenunterricht ab dem *Zertifikat Deutsch* bzw. ab Niveaustufe B1 (Gemeinsamer europäischer Referenzrahmen),
- eignet sich zum Selbstlernen in der Mediothek oder zu Hause,
- lässt sich in der Lehreraus- und -fortbildung einsetzen,
- kann unabhängig von anderen Lehrmaterialien benutzt werden.

Zur Ergänzung wird das Computerprogramm **Phonothek interaktiv** (CD-ROM mit „sprechendem" Wörterbuch, ca. 10.000 Audiodateien, die auf dem Zertifikatswortschatz basieren, sowie einem ausführlichen Regelteil und Übungen) empfohlen, das auf diesem Material aufbaut und die Arbeit im Unterricht mit dem Lehrer ergänzt. Die **Phonothek interaktiv** eignet sich besonders gut zur Erweiterung von Kenntnissen über die deutsche Phonetik und zur Entwicklung des Hörvermögens.

Wir wünschen Ihnen viel Erfolg und viel Spaß!

Ursula Hirschfeld, Kerstin Reinke und Eberhard Stock im Namen aller Autorinnen und Autoren

Arbeitsempfehlungen

Die **Phonothek intensiv** enthält ein vielfältiges Angebot. Die Zahl der Lektionen, Übungen und Aufnahmen ist groß, sodass Sie wählen können, was und wie Sie üben möchten. Wenn Sie Ihre phonetischen Probleme schon kennen, können Sie selbst festlegen, welche Lektionen für Sie wichtig sind. Hinweise zur Auswahl der Übungsschwerpunkte finden Sie für eine Reihe von Ausgangssprachen im Anschluss an dieses Kapitel. Sie können in den einzelnen Lektionen Übungen und innerhalb der Übungen Aufgaben auswählen und solche, die Ihnen zu leicht oder zu schwer sind, auslassen oder verändern.

Wenn Sie Ihre Aussprache insgesamt kontrollieren und verbessern wollen, können Sie die **Phonothek intensiv** auch ganz systematisch durcharbeiten. Beginnen Sie dann mit den Lektionen zur Intonation. Akzentuierung, Rhythmus und Melodie bestimmen den Klang der Sprache, sie sind für das Sprachverstehen von entscheidender Bedeutung.

Sie werden den Aufbau der **Phonothek intensiv** schnell erkennen und keine Schwierigkeiten damit haben. Deshalb nur einige Hinweise dazu.

1. Spalten/Lösungen

Die Seiten im Arbeitsbuch bestehen aus zwei Spalten. Alles was zum Üben in der ersten Phase gebraucht wird, befindet sich in der linken Spalte. Das sind die Übungsaufgaben, die Muster sowie Beispiele und Texte zum Mitlesen und zum Verändern.

In der rechten Spalte stehen Regeln und Übersichten zu den Laut-Buchstaben-Beziehungen. Hier finden Sie auch Lösungen und die Texte, die nicht gleich beim ersten Hören mitgelesen werden sollen. Einfache Lösungen, die dem angegebenen Muster folgen, sind nicht angegeben. Wenn Sie hier unsicher sind, fragen Sie bitte Ihren Lehrer oder sehen in einem Wörterbuch bzw. in einem Regelwerk zur Phonetik (z. B. in **Phonothek interaktiv**) nach.

Bitte decken Sie zunächst immer die rechte Spalte zu, seien Sie diszipliniert und versuchen Sie die Lösung ohne die rechte Seite selbst zu finden und Beispiele nur durch das Hören zu verstehen und zu üben! Zum Vergleich und zum Weiterarbeiten können Sie sich dann anschließend die rechte Seite ansehen.

2. Übungstypen

Damit Sie wirklich intensiv üben können, enthalten die Übungen mehrere aufeinander folgende und aufeinander aufbauende Aufgaben. Die gehörten, nachgesprochenen oder vorgelesenen Beispiele sollen in der Regel auch in anderen Kontexten oder in veränderter Form weitergeübt werden. Damit soll eine bessere Aneignung der phonetischen Merkmale erreicht und der notwendige Automatisierungsgrad gesichert werden. Wenn Ihnen diese weiterführenden Aufgaben zu schwer sind, können Sie auch zunächst nur die Hör- und Nachsprechaufgaben lösen und danach zu den schwierigeren Aufgaben zurückkehren.

Folgende Übungstypen finden Sie in der **Phonothek intensiv**, in der Regel auch in dieser Reihenfolge:

Einführende Hörübungen
Sie hören Texte, die den Lektionsschwerpunkt enthalten und bewusstmachen. Sie können diese Texte mitlesen und auf die Markierungen oder bestimmte phonetische Merkmale achten (wie jeweils in der Aufgabenstellung angegeben). Sie können sie aber zunächst auch ohne Vorlage anhören und den Klang auf sich wirken lassen. Diese Texte werden am Ende der Lektionen noch einmal aufgegriffen und geübt (s. unten).

Hörübungen zum Erkennen und Unterscheiden phonetischer Merkmale
Sie hören Wörter, Wortgruppen, Sätze oder Texte und sollen Ihr Hörergebnis z. B. unterstreichen, ankreuzen, transkribieren (durch Umschriftzeichen festhalten) oder aufschreiben. Sie können auf der rechten Seite kontrollieren, ob Sie richtig gehört haben.

Nachsprech- und Leseübungen
Sie wiederholen gehörte Beispiele oder Sie lesen schriftlich vorgegebene Beispiele laut vor.

Schreibübungen (Diktate)
In fast allen Lektionen werden Wörter, Wortgruppen, Sätze und ganze Texte diktiert. Hier werden vor allem die Phonem-Graphem-Beziehungen geübt. Die Textdiktate werden nicht im Diktierstil gelesen, weil sie auch als Muster zur Textgestaltung verwendet werden (s. unten).

Produktive Übungen
Wie im Musterbeispiel reagieren Sie auf den schriftlich oder mündlich vorgegebenen Impuls. Sie bilden neue Wörter (z. B. Antonyme oder Komposita), neue grammatische Formen (z. B. den Plural), Sie antworten auf Fragen, Sie bilden Sätze usw. Ihr Ergebnis können Sie mit der Lösung auf der rechten Seite vergleichen.

Übungen mit emotionalen Sprechvarianten
In den meisten Lektionen gibt es Übungen, in denen Emotionen wie Freude, Ärger, Aufregung auszudrücken sind. Sie sollten versuchen, sich die jeweilige Situation vorzustellen und die Sprechweise zu erkennen und zu imitieren!

Übungen zum freien Sprechen
In den meisten Lektionen gibt es eine oder mehrere Übungen bzw. Aufgaben innerhalb von Übungen, in denen Sie frei sprechen, ein Gespräch führen, etwas beschreiben oder erzählen sollen. Für diese Übungen gibt es keine Lösungsvorgabe. Machen Sie eine Aufnahme und spielen Sie sie einem Muttersprachler oder Ihrem Lehrer vor!

Textarbeit
Die Texte der ersten Übung jeder Lektion werden am Ende noch einmal aufgegriffen. Der Lektionsschwerpunkt wird wiederholend geübt, gleichzeitig werden prosodische Merkmale der Textgestaltung (Pausen, Satzakzente und Melodieverläufe vor Pausen) erarbeitet und automatisert.

3. Tonaufnahmen (CD)

Tonaufnahmen sind mit **CD 1 – 1** (Nummer der CD und der Aufnahme) gekennzeichnet. Die Aufnahmen demonstrieren ein Muster oder geben, bei den produktiven Übungen, die Lösung einer Aufgabe an.

4. Empfehlungen für das Weiterarbeiten

Um einen anhaltenden Übungseffekt zu sichern, um also Klangmuster speichern und Sprechbewegungen automatisieren zu können, wird es nicht ausreichen, die Übungen nur einmal zu machen. Wiederholen Sie die Hörübungen in bestimmten Abständen, bis Sie keine Fehler mehr machen! Wiederholen Sie auch die Nachsprechübungen mehrmals! Lesen Sie die Beispiele und Texte, die auf der CD sind! Machen Sie selbst Aufnahmen und vergleichen Sie sie mit dem Muster! Korrigieren Sie sich oder lassen Sie sich korrigieren!

Damit das Übungsmaterial intensiv genutzt werden kann, gibt es in jeder Übung eine ganze Reihe von Aufgabenstellungen. Wir empfehlen Ihnen, diese Aufgabenvariation zu nutzen und zu erweitern, also auch selbst kreativ zu werden. Hier einige Anregungen:

- Sie können in allen Übungen den Lektionsschwerpunkt markieren, auch wenn das in den Aufgaben nicht verlangt wird, also z. B. in der Lektion zu den A-Lauten das lange A unterstreichen. Sie können das auch lektionsübergreifend tun, also auch in anderen Lektionen das lange A unterstreichen. Genauso können Sie überall die Wortakzente eintragen, wenn Sie damit Probleme haben und die Wortakzent-Lektion Ihnen schon langweilig wird.

- Alle Aufnahmen in der **Phonothek intensiv** können Sie nutzen, um synchron mitzu„brummen“ oder mitzu„summen“, mitzusprechen oder mitzulesen. So machen Sie sich mit den intonatorischen Besonderheiten des Deutschen vertraut. Sie können Pausen, Melodiebewegungen und Akzente erkennen und imitieren und sich auch an ein normales Sprechtempo gewöhnen.

- Sie können die Übungsbeispiele laut, leise, schnell, langsam, hoch und tief sprechen oder lesen. Das ist keine Spielerei, sondern hilft Ihnen, sich auszuprobieren und die phonetischen Merkmale in unterschiedlicher Sprechweise zu realisieren. Auch emotionale Formen gehören dazu. Sprechen Sie die Beispiele auch einmal betont freundlich, sehr ärgerlich, verwundert oder ironisch! Einige Übungen sind ja ohnehin emotional angelegt und können Ihnen Anregungen dazu geben.

- Versuchen Sie, beim Sprechen Körperbewegungen und Gesten einzusetzen:
  - Zeigen Sie, wie die Melodie verläuft und wo eine Pause gemacht wird!
  - Klatschen Sie in die Hand, schlagen Sie auf den Tisch oder stampfen Sie mit dem Fuß, wenn Sie eine Silbe hervorheben!
  - Führen Sie die Hand in großem Bogen zur Seite, wenn der Vokal lang ist, schlagen Sie kräftig nach unten, wenn er kurz ist.
  - Ballen Sie bei gespannten Vokalen und Konsonanten die Faust.

- Sie werden merken, dass es Ihnen leichter fällt, Körperbewegungen zu steuern als Sprechbewegungen. Da beides miteinander verbunden ist, können Sie mit Gesten und Bewegungen des Körpers Ihre Aussprache beeinflussen und verbessern.

- Finden Sie für alle Übungstypen weitere Beispiele: Übungswörter, Wortgruppen, Sätze, Texte, Lieder, Gedichte ...! Aktualisieren, erweitern und ergänzen Sie die Lektionen durch eigene Übungen, schaffen Sie sich ein eigenes Material!

- Sehen Sie sich die Übersichten über die Laut-Buchstaben-Beziehungen an und merken Sie sich die Transkriptionszeichen! Sie gehören zum Internationalen Phonetischen Alphabet (IPA) und werden auch in anderen Sprachen verwendet. Mit ihrer Hilfe können Sie in Wörterbüchern selbst die Aussprache schwieriger Namen und Wörter nachschlagen.

Wenn Sie sich dafür interessieren, finden Sie am Ende dieses Arbeitsbuches eine Einführung in die deutsche Phonetik mit Regeln und Übersichten.

Übungsschwerpunkte

In der folgenden Übersicht geben wir für eine Reihe von Ausgangssprachen Hinweise zu Übungsschwerpunkten. Sie basieren auf dem Material „Phonetik international" (www.phonetik-international.de), das ca. 50 kontrastive Studien und Unterrichtsempfehlungen enthält. Wir geben in der Übersicht ein Maximum an erwartbaren Übungsschwerpunkten an, nicht alle müssen für Sie wirklich noch ein Problem sein. Sie sollten sich deshalb von Ihren Lehrern und/oder deutschsprachigen Personen beraten lassen, was Sie unbedingt üben sollten.

Lektion	Arab.	Chin.	Engl.	Finn.	Franz.	Griech.	Indon.	Ital.	Japan.	Korean.	Norw.
Wortakzentuierung	x	x	x	x	x	x	x	x	x	x	x
Rhythmisierung	x	x	x	x	x	x	x	x	x	x	x
Pausierung Melodisierung	x	x	x	x	x	x	x	x	x	x	x
A-Laute	x	x	x	x	x	x	x	x	x	x	x
E-Laute	x	x	x	x	x	x	x	x	x	x	x
I-Laute	x	x	x	x	x	x	x	x	x	x	x
O-Laute	x	x	x	x	x	x	x	x	x	x	x
U-Laute	x	x	x	x	x	x	x	x	x	x	x
Ö-Laute	x	x	x	x	x	x	x	x	x	x	x
Ü-Laute	x	x	x	x	x	x	x	x	x	x	x
Schwa	x			x	x	x	x	x	x	x	x
Diphthonge	x		x		x			x	x	x	
Plosive	x	x				x	x		x	x	
Frikative [f v]	x	x		x			x		x	x	x
Frikative [s z ʃ ʒ]	x	x		x		x	x	x	x	x	x
Frikative [x ç j]	x	x	x	x	x	x	x	x	x	x	x
R-Laute	x	x	x	x	x	x	x	x	x	x	x
Nasale	x	x	x			x	x	x	x	x	x
L-Laut			x	x				x	x	x	
Hauchlaut [h] Vokaleinsatz		x	x	x	x	x	x	x	x	x	x
Konsonantenverbindungen	x	x	x	x	x	x	x		x	x	x
Assimilationen	x	x	x	x	x	x	x	x	x	x	x

Lektion	Poln.	Port.	Rumän.	Russ.	Schwed.	Slowak.	Span.	Tschech.	Türk.	Ung.	______
Wortakzentuierung	x	x	x	x	x	x	x	x	x	x	x
Rhythmisierung	x	x	x	x	x	x	x	x	x	x	x
Pausierung Melodisierung	x	x	x	x	x	x	x	x	x	x	x
A-Laute	x	x	x	x	x	x	x	x	x	x	x
E-Laute	x	x	x	x	x	x	x	x	x	x	x
I-Laute	x	x	x	x	x	x	x	x	x	x	x
O-Laute	x	x	x	x	x	x	x	x	x	x	x
U-Laute	x	x	x	x	x	x	x	x	x	x	x
Ö-Laute	x	x	x	x	x	x	x	x	x	x	x
Ü-Laute	x	x	x	x	x	x	x	x	x	x	x
Schwa	x			x		x	x	x	x	x	
Diphthonge	x						x			x	
Plosive		x	x			x	x	x			
Frikative [f v]							x				
Frikative [s z ʃ ʒ]		x				x	x	x	x		
Frikative [x ç j]	x	x	x	x		x	x	x	x	x	
R-Laute	x	x	x	x	x	x	x	x	x	x	
Nasale	x	x	x	x		x	x	x	x	x	
L-Laut				x		x		x	x	x	
Hauchlaut [h] Vokaleinsatz	x	x	x	x		x	x	x		x	
Konsonantenverbindungen		x	x		x		x		x	x	
Assimilationen	x	x	x	x	x	x	x	x	x	x	

Falls Ihre Sprache in der Übersicht nicht enthalten ist, können Sie Ihnen bekannte Übungsschwerpunkte in die letzte Spalte eintragen.

Wir empfehlen allen Nutzern der **Phonothek intensiv**, die ersten Lektionen, die sich mit den intonatorischen Merkmalen des Deutschen befassen, komplett und besonders intensiv durchzuarbeiten. Sie bilden die Basis für eine gute Aussprache und prägen den Sprachklang. Auch die Vokallektionen empfehlen wir Ihnen im Ganzen wegen der für das Deutsche typischen Verbindung von Qualität und Quantität, die es so in anderen Sprachen nicht gibt.

1 Wortakzentuierung

1.1 Deutsche Wörter

Übung 1: Einführung

August

A: Wie heißt der König? August?
B: Nein, August. Der König heißt August, der Monat aber heißt August.
A: Dann heißt es: August der Erste.
B: Ganz richtig. August der Erste, aber: der erste August.
A: August, August, das hab ich nicht gewusst.

Urlaub im Urwald

Ich geh im Urwald für mich hin,
wie schön, dass ich im Urwald bin.
Man kann hier noch so lange wandern,
Ein Urbaum steht neben dem andern.
Und an den Bäumen Blatt für Blatt
hängt Urlaub. Schön, dass man ihn hat.

(Heinz Erhardt)

Wortakzentuierung: Jedes mehrsilbige Wort hat einen Wortakzent, der nach Regeln festgelegt ist. In nicht zusammengesetzten Wörtern ohne Präfix oder Suffix liegt er auf der Stammsilbe.

Die Wortakzentstelle kann einen Wortgruppen- oder Satzakzent tragen (vgl. Lektion 2). Die Akzentsilben werden melodisch höher oder tiefer als die benachbarten Silben, etwas lauter, deutlicher und langsamer gesprochen.

Wörter können sich allein durch den Akzent unterscheiden, z. B. *August – August*.

Bestimmte Präfixe *(ur-, un-, miss-)* und Suffixe *(-ei, -ieren)* werden akzentuiert, *miss-* allerdings nur, wenn vor dem Verbstamm ein weiteres Präfix folgt, und in Substantiven *(missverstehen, Misstrauen)*. Buchstabenwörter werden auf dem letzten Teil akzentuiert: *ABC*.

Bei Demonstrativ- und Fragepronomen kann der Akzent nach der Position in der Äußerung bzw. dem Charakter der Frage (Informationsfrage, Nachfrage) wechseln.

Zeichen für die Wortakzente: betonter langer Vokal bzw. Diphthong werden unterstrichen (_), betonter kurzer Vokal unterpunktet (.).

CD 1 – 1 hören und auf Markierungen achten

Übung 2: Akzent in Namen und Wörtern erkennen

2.1

wechselnder Akzent in Vornamen

August → August

1 Augustin
2 Monika
3 Matthias
4 Verena
5 Gesine
6 Eberhard
7 Marion
8 Johannes

Augustin
Monika
Matthias
Verena
Gesine
Eberhard
Marion
Johannes

CD 1 – 2 a) Namen hören und Akzentvokal markieren (Strich, Punkt)
b) nachsprechen
c) vorlesen
d) je zwei Namen in einem Satz verwenden, z. B. *August und Gesine gehen ins Kino.*

2.2

Akzent auf Wortstamm

der Sprecher → der Sprẹcher

1	die Sprecherin	die Sprẹcherin
2	die Sprecherinnen	die Sprẹcherinnen
3	die Besprechung	die Besprẹchung
4	das Versprechen	das Versprẹchen
5	das Gespräch	das Gesprä̲ch
6	gesprochen	gesprọchen
7	die Sprache	die Spra̲che
8	sprachlich	spra̲chlich

CD 1 – 3 a) Wörter hören und Akzentvokal markieren (Strich, Punkt)
b) nachsprechen
c) Wörter vorlesen
d) Wörter in einer Wortgruppe verwenden, z. B. *ein heiserer Sprecher*

Übung 3: Wortfamilien

Akzent auf Wortstamm

holen, erholen, die Erholung → ho̲len, erho̲len, die Erho̲lung

1	suchen, besuchen, der Besuch	su̲chen, besu̲chen, der Besu̲ch
2	schreiben, beschreiben, die Beschreibung	schre̲i̲ben, beschre̲i̲ben, die Beschre̲i̲bung
3	kaufen, verkaufen, die Verkäuferin	ka̲u̲fen, verka̲u̲fen, die Verkä̲u̲ferin
4	fahren, erfahren, die Erfahrung	fa̲h̲ren, erfa̲h̲ren, die Erfa̲h̲rung
5	kennen, erkennen, die Erkenntnis	kẹnnen, erkẹnnen, die Erkẹnntnis
6	ändern, verändern, die Veränderung	ạ̈ndern, verạ̈ndern, die Verạ̈nderung
7	antworten, beantworten, die Antwort	ạntworten, beạntworten, die Ạntwort
8	arbeiten, verarbeiten, die Verarbeitung	ạrbeiten, verạrbeiten, die Verạrbeitung

CD 1 – 4 a) hören und Akzentvokale markieren (Strich, Punkt)
b) nachsprechen
c) vorlesen
d) Wörter in Sätzen verwenden, z. B. *Erhol dich gut!*

Übung 4: Wortformen

4.1 Feminine Formen

der Schüler → die Schülerin, die Schülerinnen

1 der Lehrer
2 der Sänger
3 der Fahrer
4 der Künstler
5 der Berater
6 der Arbeiter
7 der Bearbeiter
8 der Verkäufer

a) feminine Formen (Singular und Plural) ergänzen
b) alle drei Formen vorlesen, auf Wortakzent achten
c) Wörter in Wortgruppen verwenden, z. B. *Schülerinnen und Schüler*
d) Wörter in Sätzen verwenden: *Die Schülerinnen und Schüler haben Ferien.*

Akzent auf Wortstamm

die Lehrerin, die Lehrerinnen
die Sängerin, die Sängerinnen
die Fahrerin, die Fahrerinnen
die Künstlerin, die Künstlerinnen
die Beraterin, die Beraterinnen
die Arbeiterin, die Arbeiterinnen
die Bearbeiterin, die Bearbeiterinnen
die Verkäuferin, die Verkäuferinnen

4.2 Steigerung

wirksam → wirksamer, am wirksamsten

1 langsam
2 seltsam
3 sparsam
4 einsam
5 mühsam
6 bedeutsam
7 erholsam
8 aufmerksam

a) Steigerungsformen ergänzen
b) alle drei Formen vorlesen, auf Wortakzent achten
c) Formen in Wortgruppen verwenden, z. B. *ein wirksames Medikament, noch wirksamere Medikamente, das wirksamste Medikament*

Akzent auf Wortstamm

langsam
seltsam
sparsam
einsam
mühsam
bedeutsam
erholsam
aufmerksam

4.3 Antonyme

Akzent auf *un-*

ruhig → unruhig

1 bekannt
2 deutlich
3 freundlich
4 glücklich
5 genau
6 fähig
7 bequem
8 pünktlich

a) Antonyme mit *un-* ergänzen
b) Wortpaare vorlesen, auf Wortakzent achten
c) Adjektive in Sätzen verwenden, z. B. *Sei doch nicht so unruhig!*

4.4 Wörter mit Ur-

Akzent auf *Ur-*

der Wald → der Urwald

1 die Sache
2 die Geschichte
3 die Aufführung
4 die Großmutter
5 der Großvater
6 die Großeltern
7 die Enkel
8 der Mensch

a) Substantive mit *Ur-* ergänzen
b) Wortpaare vorlesen, auf Wortakzent achten
c) Wörter erklären: *Ein Urwald ist ein ...*

4.5 Wörter mit miss-/Miss-

wechselnder Akzent

misstrauen → misstrauen

1	das Misstrauen	das Misstrauen
2	das Missverständnis	das Missverständnis
3	missverstehen	missverstehen
4	missachten	missachten
5	missvergnügt	missvergnügt
6	der Misserfolg	der Misserfolg
7	missbilligen	missbilligen
8	misslingen	misslingen

CD 1 – 5 a) hören und Akzentvokal markieren
b) nachsprechen

c) vorlesen
d) Wörter in Wortgruppen verwenden: *jemandem misstrauen*
e) Wörter in Sätzen verwenden: *Ich misstraue dir.*

4.6 Wörter mit *-ei*

Akzent auf *-ei*

der Bäcker → die Bäckerei

1 der Glaser
2 der Konditor
3 der Gärtner
4 der Drucker
5 der Buchbinder
6 der Fleischer
7 der Polizist
8 der Türke

die Polizei
die Türkei

a) Substantive mit *-ei* ergänzen
b) Wortpaare vorlesen, auf Wortakzent achten
c) Sätze mit den Paaren bilden, z. B. *Der Bäcker arbeitet in der Bäckerei.*
d) weitere Beispiele mit *-ei* finden: *die Malerei, der Papagei, ...*

4.7 Demonstrativ- und Fragepronomen

wechselnder Akzent

1 dabei	Ich hab mir nichts dabei gedacht.
2 dabei	Dabei hab ich mir nichts gedacht.
3 damit	Damit ist jetzt Schluss.
4 damit	Es ist nun Schluss damit.
5 woher	Woher wissen Sie das eigentlich?
6 woher	Woher wissen Sie das?
7 warum	Warum kommen Sie schon wieder zu spät?
8 warum	Warum kommen Sie zu spät?

CD 1 – 6 a) Sätze hören und nachsprechen, auf Wortakzent in Pronomen achten
b) Sätze vorlesen
c) weitere Sätze mit Demonstrativ- und Fragepronomen bilden

Übung 5: Abkürzungen

Endakzentuierung

1	WG
2	CD
3	EU
4	ICE
5	AOK
6	DGB
7	ÖTV
8	GEW
9	IHK
10	DAAD

CD 1 – 7 a) Buchstabenwörter hören und aufschreiben
b) nachsprechen
c) Langformen den Kurzformen zuordnen und vorlesen, z. B. *WG heißt Wohngemeinschaft.*

1 B, 2 E, 3 H, 4 I, 5 J, 6 A, 7 C, 8 D, 9 G, 10 F

A Deutscher Gewerkschaftsbund
B Wohngemeinschaft
C Gewerkschaft für Öffentliche Dienste, Transport und Verkehr
D Gewerkschaft Erziehung und Wissenschaft
E Compact Disk
F Deutscher Akademischer Austauschdienst
G Industrie- und Handelskammer
H Europäische Union
I InterCityExpress
J Allgemeine Ortskrankenkasse

Übung 6: Ortsnamen

wechselnder Akzent in Ortsnamen

Hannover → Hannover

1	Berlin	Berlin
2	Hamburg	Hamburg
3	Luzern	Luzern
4	Klagenfurt	Klagenfurt
5	Tübingen	Tübingen
6	Lugano	Lugano
7	Erlangen	Erlangen
8	Sankt Pölten	Sankt Pölten
9	Paderborn	Paderborn
10	Kaufbeuren	Kaufbeuren

CD 1 – 8 a) Ortsnamen hören und Akzentvokal markieren (Strich, Punkt)
b) nachsprechen

c) vorlesen
d) weitere Ortsnamen finden:
   – zweisilbig + anfangsbetont: *Leipzig, ...*
   – dreisilbig + anfangsbetont: *Brandenburg, ...*
   – dreisilbig + auf 2. Silbe betont: *Saarbrücken, ...*
e) Reiserouten nach Akzentstruktur planen, z. B. nur in Orte reisen, die dreisilbig und anfangsbetont sind
f) einen Ort wählen und recherchieren, welche Sehenswürdigkeiten es dort gibt (Kurzvortrag vorbereiten und halten)

Übung 7: Wohin willst du? — wechselnder Akzent in Ländernamen

A Nach England. →
B Nach England? Aber ohne mich!

	A	B
1	Oder vielleicht nach Frankreich?	Nach Frankreich? Nicht mit mir!
2	Fahren wir doch nach Italien.	Nach Italien? Ich bleibe hier!
3	In die Mongolei?	In die Mongolei? Viel zu weit!
4	Wie wär's mit Luxemburg?	Luxemburg? Viel zu teuer!
5	Dann Norwegen.	Norwegen? Ohne mich!
6	Und Argentinien?	Argentinien? Aber nicht mit mir!
7	Oder doch nach Indonesien.	Nach Indonesien? Viel zu heiß!
8	Dann eben nach Australien.	Nach Australien? Dafür habe ich keine Zeit!
9	Neuseeland wäre toll.	Neuseeland? Nie im Leben!
10	Alaska wäre herrlich.	Alaska? Viel zu kalt!

CD 1 – 9 a) Äußerungen hören und ablehnende Sprechweise von B imitieren
b) zu zweit üben: *A: Wohin willst du?*
   B: Nach ...
   A: Nach ...? Ohne mich!
c) zu zweit üben: andere Ländernamen verwenden

Übung 8: Textarbeit (→ Übung 1) — Pausen, Akzente und Melodieverläufe

CD 1 – 1 a) Texte aus Übung 1 mehrmals hören, dabei Pausen, Wortgruppenakzente und Melodieverläufe vor Pausen markieren
b) hören und halblaut mitlesen
c) vorlesen, Tonaufnahme machen und mit Muster vergleichen
d) einen Text auswendig lernen und vortragen

1.2 Fremde Wörter

Übung 1: Einführung

Optimistische Reaktion

Der Pessimist sagt: „Nichts funktioniert hier bei diesem Experiment. Wir haben so viel probiert, und alles geht total daneben. Es funktioniert einfach nicht. Schlimmer kann's nicht mehr kommen.“ Der Optimist antwortet: „Doch!“.

Tagesablauf

Heut hab'n wir diskutiert,
Zwölf Stunden diskutiert,
Zu Mittag gab's ne Panne,
Ansonst ist nichts passiert.

(nach Peter Hacks)

CD 1 – 10 hören und auf Akzente achten

Die Akzentuierung der fremden Wörter hängt von ihrer Herkunft (z. B. griechisch, lateinisch, französisch, englisch) und dem Grad der Eindeutschung ab, daher gibt es viele unterschiedliche Regeln. Viele Fremdwörter werden auf der letzten Silbe mit langem Vokal akzentuiert, z. B. *total, Niveau.*

Auch andere Fremdwörter mit bestimmten Endungen werden auf der letzten Silbe akzentuiert, z. B. Wörter auf *-ist* wie *Optimist,* der Akzent bleibt in Ableitungen erhalten, z. B. *optimistisch, Optimismus.*

Wörter auf *-ieren* werden auf dem langen I betont. Das ändert sich in den abgeleiteten Formen nicht, z. B. *diskutiert, Markierung.* *-tion* wird akzentuiert, wenn keine weitere akzentuierbare Endung folgt, *Nation, national.* Wörter auf *-oren/-orin/-orinnen* werden auf dem langen O betont. Als Endung wird *-or* dagegen nicht akzentuiert, z. B. *Motor.*

Für die Akzentuierung der Endung *-ik* gibt es keine klaren Regeln. Meist wird sie nicht akzentuiert, wenn eine der vorausgehenden Silben einen langen Vokal hat. Die Endung *-iker* wird nie akzentuiert, hier liegt der Akzent unmittelbar vor der Endung.

Übung 2: Wortakzent erkennen

wechselnder Akzent

Alphabet, alphabetisch, Alphabetisierung →
Alphabet, alphabetisch, Alphabetisierung

	Übung	Lösung
1	Bibliothek, Bibliothekar, Bibliothekarin	Bibliothek, Bibliothekar, Bibliothekarin
2	Demokrat, Demokraten, demokratisch	Demokrat, Demokraten, demokratisch
3	Fotograf, Fotografie, fotogen	Fotograf, Fotografie, fotogen
4	Musik, Musiker, musikalisch	Musik, Musiker, musikalisch
5	Kollege, Kollegin, kollegial	Kollege, Kollegin, kollegial
6	Ökonom, ökonomisch, Ökonomie	Ökonom, ökonomisch, Ökonomie
7	Chronik, Chroniken, chronisch	Chronik, Chroniken, chronisch
8	Analyse, Analytiker, analysieren	Analyse, Analytiker, analysieren

CD 1 – 11 a) hören und Akzente markieren
b) nachsprechen
c) vorlesen

d) mit je einem oder zwei Wörtern Sätze bilden, z. B. *Das Verzeichnis ist alphabetisch geordnet.*

Übung 3: Besondere Affixe

3.1 -ieren

Akzent auf *-ie-*

fotografieren → ich fotografiere, du hast fotografiert

1	studieren	ich studiere, du hast studiert
2	probieren	ich probiere, du hast probiert
3	kopieren	ich kopiere, du hast kopiert
4	markieren	ich markiere, du hast markiert
5	diskutieren	ich diskutiere, du hast diskutiert
6	korrigieren	ich korrigiere, du hast korrigiert
7	organisieren	ich organisiere, du hast organisiert
8	sich informieren	ich informiere mich, du hast dich informiert

a) Verbformen ergänzen
b) alle drei Formen vorlesen, *-ie* akzentuieren
c) Wörter in Sätzen verwenden, z. B. *Ich fotografiere gern. Du hast mich fotografiert.*

3.2 -tion

Akzent auf *-ion*

organisieren → die Organisation, die Organisationen

1	demonstrieren	die Demonstration
2	diskutieren	die Diskussion
3	operieren	die Operation
4	reagieren	die Reaktion
5	national	die Nation
6	regional	die Region
7	religiös	die Religion
8	das Produkt	die Produktion

a) Substantive auf *-ion* ergänzen (Singular, Plural)
b) alle drei Formen vorlesen
c) Wörter auf *-ion* in Wortgruppen verwenden, z. B. *eine Organisation für Studenten*

3.3 -or, -oren

die Doktoren → der Doktor

1 die Rektoren
2 die Direktoren
3 die Professoren
4 die Koordinatoren
5 die Organisatoren
6 die Senatoren
7 die Inspektoren
8 die Kommentatoren

a) Singular ergänzen, Akzentvokal markieren
b) Wortpaare vorlesen
c) weibliche Formen ergänzen, *die Doktorin, die Doktorinnen* und vorlesen
d) Wörter erklären, z. B. *Doktoren sind ...*

wechselnder Akzent

der Rektor
der Direktor
der Professor
der Koordinator
der Organisator
der Senator
der Inspektor
der Kommentator

3.4 -ik, -iker

Phonetik – ein Phonetiker, eine Phonetikerin → ein Phonetiker, eine Phonetikerin

1 Technik – ein Techniker, eine Technikerin
2 Logik – ein Logiker, eine Logikerin
3 Politik – ein Politiker, eine Politikerin
4 Musik – ein Musiker, eine Musikerin
5 Physik – ein Physiker, eine Physikerin
6 Mathematik – ein Mathematiker, eine Mathematikerin
7 Statistik – ein Statistiker, eine Statistikerin
8 Informatik – ein Informatiker, eine Informatikerin

CD 1 – 12 a) hören, Akzente in Berufsbezeichnungen markieren
b) nachsprechen
c) vorlesen
d) Substantive in Sätzen verwenden, z. B. *Ein Phonetiker / eine Phonetikerin beschäftigt sich mit Phonetik.*

Akzent vor der Endung *-iker*

ein Techniker, eine Technikerin
ein Logiker, eine Logikerin
ein Politiker, eine Politikerin
ein Musiker, eine Musikerin
ein Physiker, eine Physikerin
ein Mathematiker, eine Mathematikerin
ein Statistiker, eine Statistikerin
ein Informatiker, eine Informatikerin

3.5 -ist, -istisch, -ismus

optimistisch → der Optimist, der Optimismus

1 realistisch
2 humanistisch
3 materialistisch
4 sozialistisch

Akzent auf *-is*

der Realist, der Realismus
der Humanist, der Humanismus
der Materialist, der Materialismus
der Sozialist, der Sozialismus

5 kapitalistisch	der Kapitalist, der Kapitalismus
6 journalistisch	der Journalist, der Journalismus
7 pazifistisch	der Pazifist, der Pazifismus
8 buddhistisch	der Buddhist, der Buddhismus

a) Substantive ergänzen
b) alle drei Formen vorlesen
c) recherchieren, was diese Wörter bedeuten, und erklären, z. B. *optimistisch heißt: zuversichtlich, positiv*

Übung 4: Der Stundenplan am MONTAG

wechselnder Akzent

1. Stunde Physik → Physik

1. Stunde Chemie	Chemie
2. Stunde Biologie	Biologie
3. Stunde Ethik	Ethik
4. Stunde Geografie	Geografie
5. Stunde Literatur	Literatur
6. Stunde Französisch	Französisch
7. Stunde Mathematik	Mathematik
8. Stunde Informatik	Informatik

a) Akzentvokale markieren
CD 1 – 13 b) nachsprechen
c) vorlesen
d) zu zweit üben, z. B.
A: Wann haben die Schüler Chemie?
B: Chemie? In der ersten Stunde.

Übung 5: Pluralformen falsch und richtig

Akzent in Singular- und Pluralformen

die Rakete – die ~~Raketer~~ Raketen

1 der Athlet – die Athleten	
2 das Paket – die Paketen	die Pakete
3 der Kompass – die Kompasse	
4 der Pass – die Passe	die Pässe
5 das Stadion – die Stadionen	die Stadien
6 die Station – die Stationen	
7 der Zirkus – die Zirkusse	
8 der Rhythmus – die Rhythmusse	die Rhythmen

a) einige Pluralformen stimmen nicht – korrekte Form ergänzen
CD 1 – 14 b) Paare hören und nachsprechen
c) vorlesen

d) Pluralformen in Wortgruppen verwenden, z. B. *eine Rakete oder zwei Raketen?*

Übung 6: Kontraste

Akzent bei kontrastiver Akzentuierung

Optimist oder Pessimist → Optimist oder Pessimist

1	national oder international	national oder international
2	final oder initial	final oder initial
3	Kapitalismus oder Sozialismus	Kapitalismus oder Sozialismus
4	Zentimeter oder Kilometer	Zentimeter oder Kilometer
5	Theologie oder Geologie	Theologie oder Geologie
6	Lektorat oder Rektorat	Lektorat oder Rektorat
7	Solidarität oder Neutralität	Solidarität oder Neutralität
8	interessant oder amüsant	interessant oder amüsant
9	Element oder Dokument	Element oder Dokument
10	Testat oder Diktat	Testat oder Diktat

CD 1 – 15 a) Paare hören, Akzente markieren
b) nachsprechen
c) vorlesen
d) zu zweit üben:
A: Meinst du Optimist oder Pessimist?
B: Natürlich ...

Übung 7: Nachfragen

wechselnder Akzent

Wie heißt das Wort? Perzeption?

1	Vokal
2	Konsonant
3	Prosodie
4	Rhythmus
5	Artikulation
6	Assimilation
7	Dynamik
8	Melodie
9	Koartikulation
10	Harmonie

CD 1 – 16 a) Nachfragen hören und Begriffe notieren
b) Nachfragen hören und (interessiert) wiederholen
c) recherchieren – was bedeutet dieses Wort?
d) zu zweit üben:
A: Kennst du das Wort Perzeption?
B: Ja, das bedeutet ...

Übung 8: Textarbeit (→ Übung 1)

Pausen, Akzente und Melodieverläufe

CD 1 – 10 a) Texte aus Übung 1 mehrmals hören, dabei Pausen, Wortgruppenakzente und Melodieverläufe vor Pausen markieren
b) hören und halblaut mitlesen
c) vorlesen, Tonaufnahme machen und mit Muster vergleichen
d) einen Text auswendig lernen und vortragen

1.3 Zusammensetzungen

Übung 1: Einführung

Wortmeldungen

„Ich beginne", sagt das Vorwort.
„Allzeit höflich!", fordert das Grußwort.
„Verstehst du mich?", fragt das Fremdwort.
„Keine Zeit!", ruft das Kurzwort.
„Ende gut, alles gut", sagt das Schlusswort.

Es gibt Tiere, Kreise und Ärzte.
Es gibt Tierärzte, Kreisärzte und Oberärzte.
Es gibt einen Tierkreis und einen Ärztekreis.
Es gibt auch einen Oberkreistierarzt.
Ein Oberkreistier aber gibt es nicht.

(Roda Roda)

Ein Mann stand im Strandsand
am Sandstrand im Handstand.
Warum?
Weil er vorstand
dem Strandsandhandstandverband.
Darum.

(überliefert)

Walderkenntnis

Ein Männlein steht im Walde
ganz still und stumm.
wenn ich es nicht umfahre,
dann fahre ich es um.

(Robert Gernhardt)

CD 1 – 17 hören und auf Akzent in markierten Wörtern achten

In Zusammensetzungen aus Bestimmungs- und Grundwort (Determinativkomposita) trägt das Bestimmungswort den (Haupt-)Akzent, das Grundwort bleibt unbetont oder erhält einen Nebenakzent, z. B. *Straßenbahn* (genauer: *Straßenbahn*).

Komposita können auch aus zwei „gleichberechtigten" Wörtern bestehen, die sich nicht gegenseitig bestimmen (Kopulativkomposita). Sie werden oft mit Bindestrich geschrieben. Hier wird das zweite Wort akzentuiert, z. B. *schwarzweiß*, *Hans-Jürgen*.

In drei- und mehrgliedrigen Komposita bilden die beiden letzten Wörter oft das Grundwort. Der Hauptakzent liegt auf dem ersten, dem Bestimmungswort, die anderen haben einen Nebenakzent, z. B. *Straßenbahnhaltestelle*. Bei Aneinanderreihungen erhält das letzte Wort einen Hauptakzent, die anderen einen Nebenakzent, z. B. *schwarz-rot-gold*. Bei Aneinanderreihungen von Wörtern vor einem Grundwort erhält das letzte Wort des Bestimmungswortes den Hauptakzent, z. B. *Goethe-Schiller-Denkmal*.

Beim Zusammentreffen von Haupt- und Nebenakzent wird der Nebenakzent verschoben, z. B. *Stadtrundfahrt*.

Trennbar zusammengesetzte Verben werden auf dem abtrennbaren Teil akzentuiert, untrennbare auf dem Verbstamm, z. B. *umfahren (fährt um) – umfahren (umfährt)*.

Übung 2: Akzentpositionen unterscheiden und erkennen

2.1

mehr Wasser – Meerwasser → Meerwasser

1	jedermann	jeder Mann	jedermann
2	die breite Straße	die Breitestraße	die Breitestraße
3	einfach	ein Fach	einfach
4	wohlbekannt	wohl bekannt	wohl bekannt
5	bewusst machen	bewusstmachen	bewusstmachen
6	ein Laden	einladen	ein Laden
7	spiel Karten	Spielkarten	Spielkarten
8	voll Milch	Vollmilch	voll Milch

CD 1 – 18 a) gehörtes Beispiel markieren
b) nachsprechen
c) Paare vorlesen
d) zu zweit üben: A beginnt mit der linken oder rechten Seite, B ergänzt das fehlende Beispiel

2.2

Akzent in Determinativkomposita

In der Straßenbahn möchte jeder einen ...
→ In der Straßenbahn möchte jeder einen Sitzplatz.

1	Die beste Aussicht hat man an einem ...	Fensterplatz
2	Im überfüllten Zug gab es nur noch einen ...	Stehplatz
3	Die Kinder spielen sehr gern auf dem ...	Spielplatz
4	Die Sportler brauchen einen ...	Sportplatz
5	Für mein Auto suche ich oft einen ...	Parkplatz
6	Das Rathaus steht mitten auf dem ...	Marktplatz
7	Zelten darf man nur auf dem ...	Zeltplatz
8	Zum Fußballspielen geht man auf den ...	Fußballplatz

a) Komposita mit *-platz* ergänzen
b) Sätze vorlesen, auf Wortakzent achten
c) andere Plätze (Komposita mit *-platz*) finden und im Satz verwenden

2.3 Doppelt kombiniert

Akzent in Determinativkomposita

Bus – Reise → Busreise – Reisebus

1	Haus – Garten	Hausgarten – Gartenhaus
2	Obst – Kern	Obstkern – Kernobst
3	Tanz – Kreis	Tanzkreis – Kreistanz
4	Ring – Finger	Ringfinger – Fingerring
5	Theater – Sommer	Theatersommer – Sommertheater

6 rot – Wein	Rotwein – weinrot
7 Blumen – Topf	Blumentopf – Topfblumen
8 Kuchen – Blech	Kuchenblech – Blechkuchen

a) je zwei unterschiedliche Komposita bilden
b) Komposita vorlesen
c) mit beiden Komposita Sätze bilden, z. B. *Wo ist der Reisebus für unsere Busreise?*

Übung 3: Bindestrich-Komposita

Akzent in Kopulativkomposita

schwarz-weiß → schwarz-weiß

1 digital-analog	digital-analog
2 Eva-Maria	Eva-Maria
3 Hans-Jürgen	Hans-Jürgen
4 Meyer-Eppler	Meyer-Eppler
5 Schmidt-Schaller	Schmidt-Schaller
6 Müller-Westernhagen	Müller-Westernhagen
7 Schleswig-Holstein	Schleswig-Holstein
8 Mecklenburg-Vorpommern	Mecklenburg-Vorpommern

a) Akzentvokale markieren
CD 1 – 19 b) nachsprechen
c) vorlesen
d) weitere Bindestrich-Komposita finden und üben

Übung 4: Stadtrundfahrt

Haupt- und Nebenakzente, Akzentverschiebung

wir treffen uns an der Bushaltestelle → wir treffen uns an der Bushaltestelle

1 wir machen eine Stadtrundfahrt	wir machen eine Stadtrundfahrt
2 nicht alle durcheinanderreden	nicht alle durcheinanderreden!
3 dort das Bibliothekshauptarchiv	dort das Bibliothekshauptarchiv
4 hier das Goethe-Schiller-Denkmal	hier das Goethe-Schiller-Denkmal
5 da die neue Musikhochschule	da die neue Musikhochschule
6 daneben die Straßenbahnendhaltestelle	daneben die Straßenbahnend-haltestelle
7 links die Universitätsbibliothek	links die Universitätsbibliothek
8 rechts das Landesverwaltungsamt	rechts das Landesverwaltungsamt
9 dahinten das Bundesverwaltungsgericht	dahinten das Bundesverwaltungs-gericht
10 aussteigen an der Robert-Koch-Klinik	aussteigen an der Robert-Koch-Klinik

CD 1 – 20 a) hören und Haupt- und Nebenakzente in den zusammengesetzten Wörtern markieren
b) nachsprechen

c) vorlesen
d) Wortgruppen in Sätzen verwenden (als Reiseleiter)

Übung 5: Trennbare und untrennbare Verben

wechselnder Akzent

5.1 Differenzierung

hinterlegen → hinterlegen

1	umfahren	umfahren
2	überlegen	überlegen
3	wiederholen	wiederholen
4	übersetzen	übersetzen
5	unterstellen	unterstellen
6	durchschauen	durchschauen
7	hintergehen	hintergehen
8	umbauen	umbauen

CD 1 – 21 a) hören und akzentuierten Wortteil markieren
b) nachsprechen
c) Bedeutung der Wörter recherchieren, z. B. *etwas hinterlegen* bedeutet ...

5.2 Verben im Kontext

hinterlegen → hinterlegen – Leg das Buch hinter den Drucker.
hinterlegen → hinterlegen – Du kannst das Buch für Ina bei mir hinterlegen.

1a	umfahren – Umfahr die Stadt, es ist Stau.	umfahren
1b	umfahren – Du darfst das Bäumchen nicht umfahren.	umfahren
2a	überlegen – Du solltest dir eine Decke überlegen.	überlegen
2b	überlegen – Überleg dir den Vorschlag.	überlegen
3a	wiederholen – Du kannst dir das Buch wiederholen.	wiederholen
3b	wiederholen – Wiederhol bitte die Vokabeln.	wiederholen
4a	übersetzen – Übersetzt du den ganzen Text?	übersetzen
4b	übersetzen – Wir wollen ans andere Ufer übersetzen.	übersetzen
5a	unterstellen – Wir können uns unterstellen, solange es regnet.	unterstellen
5b	unterstellen – Der Chef unterstellt mir schlechte Gedanken.	unterstellen
6a	durchschauen – Durchschaut das noch jemand?	durchschauen
6b	durchschauen – Hier ist das Opernglas, da kannst du durchschauen.	durchschauen

7a hintergehen – Hintergeh mich bitte nie.	hintergehen
7b hintergehen – Du darfst dort nicht hintergehen.	hintergehen
8a umbauen – Der Platz wird umgebaut.	umbauen
8b umbauen – Der Platz wird umbaut.	umbauen

a) akzentuierte Wortteile im Infinitiv markieren
CD 1 – 22 b) Sätze hören und nachsprechen
c) vorlesen
d) Verben in anderen Sätzen verwenden

Übung 6: Befehle

Akzent in trennbaren Verben

einsteigen → Steig ein! Steig bitte ein!

1 aussteigen	Steig aus! Steig bitte aus!
2 umsteigen	Steig um! Steig beim nächsten Halt um!
3 einkaufen	Kauf ein! Kauf nicht zu viel ein!
4 aufräumen	Räum auf! Räum endlich mal auf!
5 anrufen	Ruf an! Ruf mich an!
6 aufpassen	Pass auf! Pass doch auf!
7 hereinkommen	Komm herein! Komm jetzt herein!
8 herunterkommen	Komm herunter! Kommst du da herunter?

a) Imperative ergänzen
CD 1 – 23 b) hören und nachdrücklich nachsprechen
c) weitere Beispiele finden und sprechen

Übung 7: Textarbeit (→ Übung 1)

Pausen, Akzente und Melodieverläufe

CD 1 – 17 a) Texte aus Übung 1 mehrmals hören, dabei Pausen, Wortgruppenakzente und Melodieverläufe vor Pausen markieren
b) hören und halblaut mitlesen
c) vorlesen, Tonaufnahme machen und mit Muster vergleichen
d) einen Text auswendig lernen und vortragen

2 Wortgruppenakzentuierung und Rhythmisierung

Übung 1: Einführung

Ich und du,
Müllers Kuh,
Müllers Esel,
das bist du!

(Abzählvers)

Alle reden.
Ich rede.
Du redest.
Er redet ständig.
Sie redet.
Sie redet laut.
Sie redet sehr laut.
Wir reden mit.
Ihr redet auch mit.
Sie reden.
Alle reden.
Wovon?
Von nichts.
Es ist eine Party.

(nach Leo Szkutnik)

Wortgruppenakzentuierung: Hervorhebung einzelner Wörter in einer inhaltlich zusammengehörigen Wortgruppe (= Akzentgruppe); Zeichen: Silbe/Wort unterstrichen oder Akzentvokale markiert.

Solche Akzentgruppen können eine vollständige Äußerung bilden oder sich zu längeren Äußerungen zusammensetzen, sie werden dann durch Pausen oder andere Gliederungssignale voneinander abgesetzt. Die Akzentwörter bzw. -silben werden melodisch höher oder tiefer als die benachbarten Silben sowie etwas lauter, deutlicher und langsamer gesprochen.

Wortgruppenakzente liegen auf Sinnwörtern (Substantiven, Verben, Adjektiven, Adverbien). Funktionswörter (Artikel, Präpositionen, Pronomen, Konjunktionen) werden nur akzentuiert, wenn
- sie hinweisend gebraucht werden: *diese Vase dort – mich interessiert diese Vase dort*
- ein Gegensatz ausgedrückt werden soll (Kontrastakzentuierung): *mein Buch – das ist mein Buch (nicht deins).*

Bei Aufzählungen wird das letzte Wort betont, z. B. *Peter, Monika und ich.*

Durch die Aufeinanderfolge von akzentuierten und nichtakzentuierten Silben entstehen rhythmische Muster, z. B. *Guten Tag* – **ooO**. Für den deutschen Rhythmus ist der große Gegensatz zwischen den Akzentsilben und den sie umgebenden nichtakzentuierten Silben charakteristisch.

CD 1 – 24 hören und auf Markierungen achten

Übung 2: Akzent / rhythmisches Muster erkennen

2.1

Ich rede mit Anna. → Ich rede mit Anna.

1 Anna ruft Frank.
2 Sie ruft oft an.
3 Frank hält einen Vortrag.
4 Alle hören zu.

Akzentwort in Akzentgruppe

Anna ruft Frank.
Sie ruft oft an.
Frank hält einen Vortrag.
Alle hören zu.

5 Wir sprechen französisch.
6 die deutsche Aussprache
7 ein interessantes Gespräch
8 Johannes spricht sehr leise.

CD 1 – 25 a) Wortgruppen hören und akzentuierte Wörter unterstreichen
b) nachsprechen
c) vorlesen

Wir sprechen französisch.
die deutsche Aussprache
ein interessantes Gespräch
Johannes spricht sehr leise.

2.2

rhythmische Muster

Muster A: **ooO** / Muster B: **oOo** / Muster C: **Ooo**

Guten Tag. → A

1 Bis morgen.
2 Gehst du schon?
3 Ich muss los.
4 Warte noch!
5 Keine Zeit!
6 Dann machs gut!
7 Wiedersehn!
8 Grüß Peter!

B
C
A
C
A
A
C
B

CD 1 – 26 a) hören und rhythmisches Muster zuordnen
b) nachsprechen
c) zu zweit vorlesen
d) andere Wortgruppen mit drei Silben den Mustern zuordnen, auch zu anderen Themen

2.3

rhythmische Muster

ooOoo → eine Vorlesung

1 **ooOoo**
2 **ooOo**
3 **oooO**
4 **oooooO**
5 **ooooOo**
6 **ooooO**
7 **oooOoo**
8 **oOooo**

a) Wortgruppen den rhythmischen Mustern zuordnen: *in der neuen Mensa, die Abschlussprüfung, in der Bibliothek, vor dem Hörsaal, im Seminar, bis zum Institut, eine Klausur schreiben, nach der Vorlesung*

nach der Vorlesung
vor dem Hörsaal
im Seminar
in der Bibliothek
in der neuen Mensa
bis zum Institut
eine Klausur schreiben
die Abschlussprüfung

b) Lösung vorlesen und bei der Akzentsilbe eine Handbewegung machen
c) weitere Wortgruppen zum Thema Studium/Schule/Deutschkurs finden und zu den Mustern schreiben bzw. weitere Muster ergänzen

Übung 3: Gleicher Rhythmus	rhythmische Muster
1 **Ooo**	Monika / du bist es? / setz dich doch
2 **oOo**	Andreas / na endlich / wo warst du?
3 **ooO**	hallo du / lass das sein / geh da weg
4 **Oooo**	hören Sie mich? / kommen Sie noch? / antworten Sie
5 **oOoo**	ach so ist das / Entschuldigung / wir kommen gleich
6 **ooOo**	ist ganz einfach / mach es auch mal / das ist gut so
7 **oooO**	endlich vorbei / ohne Problem / alles ok
8 **Ooooo**	fragen Sie doch mal / schimpfen Sie nicht so / glauben Sie mir doch
9 **oOooo**	was fehlt auf dem Tisch? / Tomatensalat? / den gibt es heut nicht
10 **ooOoo**	ich versteh das nicht / hast du Zeit für mich? / bitte hör auf mich
11 **oooOo**	werd jetzt nicht müde / das ist der Rhythmus / wo jeder mit muss
12 **ooooO**	wer hört hier noch zu? / das ist doch nicht schwer / gleich ist es vorbei

CD 1 – 27 a) Muster ansehen, Wortgruppen hören und nachsprechen
b) vorlesen
c) zu zweit üben: andere Wortgruppen finden und Mustern zuordnen

Übung 4: Abzählverse	Rhythmus in Versen
1 **ooO**	Eins zwei drei
2 **oooO**	und du bist frei!
1 **ooooO**	Eene meene mu
2 **oooO**	und raus bist du!

1 **OoOo**
2 **OoOo**
3 **ooO**
4 **oooO**

Ilse Bilse,
niemand will se,
kam der Koch
und nahm sie doch.

CD 1 – 28 a) Muster ansehen, Verse hören und nachsprechen
b) vorlesen
c) in der Gruppe üben: reihum abzählen

Übung 5: Aufzählungen

Akzent in Aufzählungen

Wir essen Brot und Brötchen. →
Wir essen Brot und Brötchen.

1 Wir brauchen Zeit und Geld.	Wir brauchen Zeit und Geld.
2 Wir lesen Zeitungen und Bücher.	Wir lesen Zeitungen und Bücher.
3 Wir fahren Rad, Bus und Auto.	Wir fahren Rad, Bus und Auto.
4 Wir trinken Milch, Saft und Tee.	Wir trinken Milch, Saft und Tee.
5 Wir lernen Deutsch, Englisch und Französisch.	Wir lernen Deutsch, Englisch und Französisch.
6 Wir besuchen Anne, Tim, Reiner und Ina.	Wir besuchen Anne, Tim, Reiner und Ina.
7 Wir kaufen Gemüse, Wurst, Butter und Käse.	Wir kaufen Gemüse, Wurst, Butter und Käse.
8 Wir stehn auf, ziehn uns an, frühstücken und gehn zur Arbeit.	Wir stehn auf, ziehn uns an, frühstücken und gehn zur Arbeit.

CD 1 – 29 a) hören und Hauptakzent markieren
b) nachsprechen
c) vorlesen
d) andere Ergänzungen zu den Verben finden

Übung 6: Berühmte Fürsten

Akzent in Ergänzungen

der große Konrad → Konrad der Große

1 der reiche Otto	Otto der Reiche
2 der stolze Albrecht	Albrecht der Stolze
3 der bedrängte Dietrich	Dietrich der Bedrängte
4 der ernsthafte Friedrich	Friedrich der Ernsthafte
5 der beständige Johann	Johann der Beständige
6 der gutmütige Johann Friedrich	Johann Friedrich der Gutmütige

a) Wortgruppe umformen
CD 1 – 30 b) hören und Hauptakzent markieren
c) nachsprechen
d) vorlesen

e) recherchieren: Wer waren diese Fürsten? (Kurzvortrag vorbereiten und halten)

Übung 7: Zeitangaben — Akzent in Uhrzeiten

20.50 Uhr → zwanzig Uhr fünfzig

1	*17.30* Uhr	siebzehn Uhr dreißig
2	*5.55* Uhr	fünf Uhr fünfundfünfzig
3	*22.10* Uhr	zweiundzwanzig Uhr zehn
4	*23.23* Uhr	dreiundzwanzig Uhr dreiundzwanzig
5	Viertel vor 8	Viertel vor acht
6	am 10.10.	am Zehnten Zehnten
7	am 11. und 12. März	am elften und zwölften März
8	im 17. Jahrhundert	im siebzehnten Jahrhundert
9	*1984*	neunzehnhundertvierundachtzig
10	*2008*	zweitausendacht

a) Zeitangaben in Wörtern aufschreiben, Hauptakzent markieren
CD 1 – 31 b) nachsprechen
c) vorlesen
d) Zeitangaben in Sätzen verwenden

Übung 8: Im Gartenlokal — emotionale Akzentuierung

1	Apfelsaft? Gibt's leider nicht mehr!
2	Tee? Nur noch Pfefferminze!
3	Kaffee? Klar, dauert aber einen kleinen Moment.
4	Quarkkuchen? Ja, ist aber leider von gestern.
5	Sahnetorte? Kann ich Ihnen heute nicht empfehlen.
6	Bratwurst? Ja, schon, aber der Senf ist alle.
7	Glühwein? Ist im Sommer leider nicht im Angebot.
8	Mineralwasser? Aber nur mit Kohlensäure.

CD 1 – 32 a) Aussprüche hören und emotional (höflich, bedauernd, entschuldigend) nachsprechen
b) Situationen ausdenken und emotionale Aussprüche verwenden, zu zweit üben

Übung 9: Diktat

Akzentuierung

	Akzentuierung
1	8.25 Uhr ab Rostock
2	InterCity 2371 mit BordBistro
3	umsteigen in Hamburg Hauptbahnhof
4	Ankunft um 10.15 Uhr
5	Weiterfahrt um 10.24 Uhr
6	InterCityExpress 75 mit Bord-Restaurant
7	Ankunft in Basel um 16.55 Uhr
8	Anschluss nach Luzern um 17.04 Uhr
9	InterCity 685, Speisen und Getränke erhältlich
10	Ankunft in Luzern um 18.13 Uhr

CD 1 – 33 a) Angaben über Reise von Rostock nach Luzern hören und mitschreiben
b) vorlesen, auf Akzente achten
c) zu zweit üben: Rückfahrt oder andere Reiseroute gegenseitig diktieren

Übung 10: Textarbeit (→ Übung 1)

Pausen, Akzente und Melodieverläufe

CD 1 – 24 a) Texte aus Übung 1 mehrmals hören, dabei Pausen, Akzente und Melodieverläufe vor Pausen markieren
b) hören und halblaut mitlesen
c) vorlesen, Tonaufnahme machen und mit Muster vergleichen
d) einen Text auswendig lernen und vortragen

3 Pausierung und Melodisierung

Übung 1: Einführung

Die Ziege

Ein armer Schneider ➔ / hatte drei Söhne ➔ / und eine Ziege. ➘ / Jeden Tag ➔ / mussten die Söhne ➔ / die Ziege füttern. ➘ / Die Ziege ➔ / fraß sich satt. ➘ / Am Abend aber ➔ / schrie sie, ➔ / dass sie noch hungrig sei. ➘ / Lange Zeit ➔ / achtete der Schneider nicht darauf; ➘ / er glaubte ihr nicht. ➘ / Endlich aber ➔ / wurde er böse ➔ / und jagte die Ziege fort. ➘ / Danach lebte er mit seinen Söhnen zufrieden ➔ / bis an sein Ende. ➘

A: Morgen. ➘
B: Morgen. ➘
A: Morgen? ➚
B: Morgen! ➘

Pausierung (Zeichen /): Gliederung einer Äußerung in sinnvolle Abschnitte mithilfe von Pausen. Je langsamer das Sprechtempo, desto größer die Zahl und Länge der Pausen, z. B. *Ein armer Schneider / hatte drei Söhne / und eine Ziege.*

Melodisierung: Kennzeichnung der Bedeutung einer Äußerung mithilfe der Sprechmelodie. Besonders wichtig ist der „Endlauf" der Melodie: von der letzten Akzentstelle an bis zur Pause bzw. zum Ende der Äußerung.

Melodiefall (➘) bei: Aussagen, Aufforderungen, sachlichen oder entschiedenen Äußerungen, Fragen mit Fragewort, z. B. *Sie fraß sich satt.* ➘

Melodieanstieg (➚) bei: Entscheidungsfragen (Ja-Nein-Fragen), sehr freundlichen, sehr höflichen Äußerungen, Nachfragen, verbindlichen, liebenswürdigen Fragen mit Fragewort, Warnungen oder Drohungen, z. B. *Du kommst morgen?* ➚

Schwebender Melodieverlauf (➔) bei: nichtabgeschlossenen Äußerungen, Unentschlossenheit oder Unsicherheit, z. B. ... *wurde er böse* ➔ */ und ...*

Großer Melodieanstieg und -fall bei: kontrastiver Akzentuierung, emphatischer Akzentuierung, erregten oder gefühlvollen Äußerungen.

CD 1 – 34 hören und auf Markierungen achten

Übung 2: Pausen und Melodieverläufe erkennen

2.1

das nicht das → das, / nicht das
das nicht, / das

		Pausen – bedeutungsunterscheidend
1	so nicht so	so nicht, / so
2	so nicht so	so, / nicht so
3	heute nicht morgen	heute, / nicht morgen
4	heute nicht morgen	heute nicht, / morgen
5	abends nicht morgens	abends nicht, / morgens
6	abends nicht morgens	abends, / nicht morgens

7 um fünf nicht um vier	um fünf, / nicht um vier
8 um fünf nicht um vier	um fünf nicht, / um vier

CD 1 – 35 a) hören und Pausen eintragen, Komma und Pausenzeichen ergänzen
b) nachsprechen
c) vorlesen

2.2 Endmelodie – bedeutungsunterscheidend

Verstehen Sie → Verstehen Sie? ↗

1 Das ist schwierig	Das ist schwierig ↘.
2 Wir sprechen noch darüber	Wir sprechen noch darüber ↗?
3 Jetzt geht es nicht	Jetzt geht es nicht ↘.
4 Man sollte den Chef fragen	Man sollte den Chef fragen ↗.
5 Sie meinen es nicht so	Sie meinen es nicht so ↘.
6 Genaueres weiß man nicht	Genaueres weiß man nicht ↗?
7 Es wird sich heute entscheiden	Es wird sich heute entscheiden ↗?
8 Es wird nicht wieder passieren	Es wird nicht wieder passieren ↘.

CD 1 – 36 a) hören und Endmelodie markieren: ↗ ↘ →, Satzzeichen ergänzen
b) nachsprechen
c) mit jedem Beispiel alle drei Melodieverläufe üben
d) zu zweit üben: Aussagen und Fragen verwenden

2.3 Pausen und Melodie – bedeutungsunterscheidend

Verstehen Sie Frau Wenk
→ Verstehen Sie, → / Frau Wenk? ↗
→ Verstehen Sie Frau Wenk? ↗

1 Klaus hilft Klara nicht	Klaus hilft Klara nicht. ↘
2 Klaus hilft Klara nicht	Klaus hilft Klara nicht? ↗
3 Klaus hilft Klara nicht	Klaus hilft, → / Klara nicht. ↘
4 Klaus hilft Klara nicht	Klaus hilft, → / Klara nicht? ↗
5 Hörst du Hannelore	Hörst du? ↗ Hannelore! ↘
6 Hörst du Hannelore	Hörst du Hannelore? ↗
7 Hörst du Hannelore	Hörst du, → / Hannelore? ↗
8 Hörst du Hannelore	Hörst du, → / Hannelore! ↘

CD 1 – 37 a) Sätze mehrmals hören und Pausen und Melodieverläufe an Pausen und am Ende markieren, Satzzeichen ergänzen
b) nachsprechen
c) vorlesen
d) zu zweit üben: A liest ein Beispiel vor, B nennt die Nummer (1 bis 8)

Übung 3:	Pausen – strukturierend
ein sehr altes Auto → ein Auto, / das sehr alt ist	
1 eine sehr nette Familie	eine Familie, / die sehr nett ist
2 ein ziemlich guter Vorschlag	ein Vorschlag, / der ziemlich gut ist
3 eine ganz wichtige Information	eine Information, / die ganz wichtig ist
4 nicht vorbereitete Studenten	Studenten, / die nicht vorbereitet sind
5 zu teure Bücher	Bücher, / die zu teuer sind
6 eine sehr langweilige Veranstaltung	eine Veranstaltung, / die sehr langweilig ist
7 zufriedene und glückliche Menschen	Menschen, / die zufrieden und glücklich sind
8 ein fast freundschaftliches Gespräch	ein Gespräch, / das fast freundschaftlich ist

a) Wortgruppen umformulieren

CD 1 – 38 b) hören und nachsprechen

c) vorlesen

d) Wortgruppen in Sätzen verwenden, z. B. *Ich habe ein Auto, das schon sehr alt ist.*

Übung 4: Aussagen und Fragen	Melodievariation
Thomas → Thomas liest gern Reportagen.	
1 Mario	Mario hat im Lotto gewonnen?
2 Wanda	Wanda singt nicht gern.
3 Michael	Michael könnte dauernd essen.
4 Grit	Grit wird Apothekerin?
5 Franz	Franz schreibt einen Roman?
6 Anita und Walter	Anita und Walter spielen gern Tennis.
7 Frau Werner	Frau Werner lernt Arabisch?
8 Herr Blumtritt	Herr Blumtritt fliegt nach Neuseeland.

CD 1 – 39 a) Sätze hören und fehlende Wörter notieren, Fragezeichen oder Punkt ergänzen

b) Sätze hören und nachsprechen

c) alle Sätze als Fragen vorlesen, alle Sätze als Aussagen vorlesen

d) zu zweit üben: fragen und antworten

Übung 5: Kontraste	Melodie (Akzente) in kontrastiven Äußerungen
Die Aufgabe ist nicht einfach, sondern kompliziert. → Die Aufgabe ist nicht einfach, sondern kompliziert.	
1 Oskar ist nicht groß, sondern klein.	Oskar ist nicht groß, sondern klein.
2 Er heißt Oskar Schmidt, nicht Oskar Meyer.	Er heißt Oskar Schmidt, nicht Oskar Meyer.
3 Er kauft statt Äpfel lieber Birnen.	Er kauft statt Äpfel lieber Birnen.
4 Er mag weder Hunde noch Katzen?	Er mag weder Hunde noch Katzen?
5 Das Treffen findet wöchentlich, nicht täglich statt?	Das Treffen findet wöchentlich, nicht täglich statt?
6 Er kommt nur zweimal pro Woche, nicht dreimal.	Er kommt nur zweimal pro Woche, nicht dreimal.
7 Das hängt von den Tageshöchst- und Tagestiefsttemperaturen ab.	Das hängt von den Tageshöchst- und Tagestiefsttemperaturen ab.
8 Jahrzehnte und Jahrhunderte werden so vergehen.	Jahrzehnte und Jahrhunderte werden so vergehen.
a) Akzentwörter unterstreichen b) Sätze vorlesen, auf Melodie in den Akzentwörtern achten c) andere Kontraste finden	

Übung 6: Sprichwörter	Pausen, Akzente und Melodie in Äußerungen
Erst höre, dann rede. → Erst höre ➔ /, dann **rede**. ↘	
1 Kurze Rede, gute Rede.	Kurze Rede ➔ /, **gute** Rede. ↘
2 Lange Reden machen kurze Tage.	Lange Reden ➔ / machen kurze **Tage**. ↘
3 Man redet viel, wenn der Tag lang ist.	Man redet viel ➔ /, wenn der Tag **lang** ist. ↘
4 Man redet viel an einem langen Sommertag.	Man redet viel ➔ / an einem langen **Sommer**tag. ↘
5 Das Herz denkt anders, als der Mund redet.	Das Herz denkt anders ➔ /, als der Mund **redet**. ↘
6 Es ist nicht alles wahr, was die Leute reden.	Es ist nicht alles wahr ➔ /, was die Leute **reden**. ↘
7 Wer angenehm redet, dem hört man überall zu.	Wer angenehm redet ➔ /, dem hört man überall **zu**. ↘
8 Was man nicht versteht, darüber muss man nicht reden.	Was man nicht versteht ➔ /, darüber muss man ↘ nicht **reden**. ↘
CD 1 – 40 a) mehrmals hören und Pausen, Melodieverläufe sowie Akzente markieren b) nachsprechen	

c) vorlesen
d) Sprichwörter erklären

Übung 7: Ein Mensch

Pausen und Melodie im Text

Plötzlich stand ein Mensch
vor mir auf dem Kopfe
eine Mütze an den Füßen
Sandalen in der Hand
einen dicken Stock im Mund
eine Zigarette mit fragendem Blick.

CD 1 – 41 a) mehrmals hören und Pausen sowie Melodieverläufe an den Pausen eintragen; Komma ergänzen
b) halblaut mitsprechen
c) vorlesen

Plötzlich stand ein Mensch vor mir: ↘ /
auf dem Kopfe eine Mütze, → /
an den Füßen Sandalen, → /
in der Hand einen dicken Stock, → /
im Mund eine Zigarette, → /
mit fragendem Blick. ↘

Übung 8: So ein Ärger

emotionale Melodisierung

1 Der Bus hat schon wieder 30 Minuten Verspätung?
2 Dann schaffe ich auch meinen Zug nicht!
3 Und komme eine Stunde zu spät zur Arbeit.
4 Wissen Sie, was das bedeutet?
5 Wie mein Chef darauf reagiert?
6 Rausschmeißen wird er mich.
7 Denn Ihr Bus kommt dauernd zu spät.
8 Und wir müssen das ausbaden!

CD 1 – 42 a) Aussprüche hören und emotional (verärgert, wütend) nachsprechen
b) Situationen ausdenken und emotionale Aussprüche verwenden, zu zweit üben

Übung 9: Sie und er

Pausen, Akzente und Melodie kontrastiv

	sie	er	sie	er
Alter:			18	20
Größe:			1,65	1,78
Haarfarbe:			braun	blond
Interessen:			Musik, Lesen	Sport, Verreisen
Berufswunsch:			Dolmetscherin	weiß noch nicht
Wohnort:			Köln	Köln
Urlaubsplan:			mit ihm nach Paris	mit ihr nach nach Paris

CD 1 – 43 a) Angaben über „sie" und „ihn" hören und notieren
b) nachsprechen
c) sie und ihn und beide im Vergleich beschreiben, auf Pausen und Melodie achten
d) zu zweit üben: fragen und antworten – auch weitere Fragen stellen (Familie, Freunde, Pläne, ...)

Übung 10: Textarbeit (→ Übung 1)

Pausen und Melodie

CD 1 – 34 a) Text und Dialog aus Übung 1 mehrmals hören, dabei Pausen, Akzente und Melodieverläufe vor Pausen markieren
b) hören und halblaut mitlesen
c) vorlesen, Tonaufnahme machen und mit Muster vergleichen
d) Dialog spielen, Text vortragen

4 A-Laute

Übung 1: Einführung

Der vorsichtige Träumer

In dem Städtlein Witlisb**a**ch im K**a**nton Bern h**a**t einm**a**l ein Fremder übern**a**chtet. **A**ls er ins Bett gehen wollte und bis auf d**a**s Hemd ausgekleidet w**a**r, n**a**hm er ein P**aa**r P**a**ntoffeln, zog sie **a**n und b**a**nd sie **a**n den Füßen fest. So l**a**g er nun im Bett. D**a** fr**a**gte ein **a**nderer W**a**ndersm**a**nn, der auch d**a** übern**a**chtete: „Guter Freund, w**a**rum m**a**cht ihr d**a**s?“ D**a**rauf erwiderte der Erste: „Wegen der Vorsicht. Denn ich bin einm**a**l im Traum in eine Gl**a**sscherbe getreten. D**a**von h**a**be ich im Schl**a**f solche Schmerzen empfunden, d**a**ss ich um keinen Preis mehr b**a**rfuß schl**a**fen möchte.“

(nach Johann Peter Hebel)

CD 1 – 44 hören und auf Markierungen achten

Es gibt zwei A-Laute:
lang – [aː]
kurz – [a]

[aː]	a	Gl**a**s
	ah	n**ah**m
	aa	P**aa**r
[a]	a	M**a**nn
		N**a**cht
		als, **a**n, d**a**s

Zungenrücken flach, Kieferöffnung sehr groß, heller Klang

Achtung!
Keine Klangveränderung, z. B. in Richtung O-Laute!

Übung 2: Familiennamen unterscheiden

[aː] – [a]

Mahn – Mann → <u>Mann</u>

1	Hahnel	Hannel	Hahnel
2	Raalig	Rallig	Raalig
3	Wahlke	Wallke	Wallke
4	Stahnitz	Stannitz	Stannitz
5	Dahme	Damme	Dahme
6	Rahmers	Rammers	Rahmers
7	Grapner	Grappner	Grappner
8	Maßler	Massler	Massler
9	Dahneberg	Danneberg	Danneberg
10	Krakendorf	Krackendorf	Krakendorf

CD 1 – 45 a) gehörten Namen unterstreichen
b) nachsprechen
c) Paare vorlesen
d) Reihen vorlesen
e) zu zweit üben:
A: Heißt der neue Nachbar (die neue Nachbarin) Mahn?
B: Nein, Mann ...

Übung 3: In der Küche

[aː], [a]

Saft → [a]

1	Salz	[ ]	[a] das
2	Apfel	[ ]	[a] der
3	Tasse	[ ]	[a] die
4	Glas	[ ]	[aː] das
5	Braten	[ ]	[aː] der
6	Kanne	[ ]	[a] die
7	Kaffee	[ ]	[a] der
8	Wasser	[ ]	[a] das
9	Sahne	[ ]	[aː] die
10	Flasche	[ ]	[a] die

a) A-Laute transkribieren (lang [aː]; kurz: [a])
b) Wörter mit Artikel vorlesen
c) Adjektive mit A ergänzen oder Komposita bilden, z. B. *eine alte Tasse, der Apfelsaft, ...*
d) mit Wortgruppen bzw. Komposita Sätze bilden

Übung 4: Die Kaffeetafel

[aː], [a]

1	eine Kaffeetafel	eine Kaffeetafel
2	am Sonntagnachmittag	am Sonntagnachmittag
3	ganze Familie einladen	ganze Familie einladen
4	Kaffee mit Kaffeesahne	Kaffee mit Kaffeesahne
5	schwarzer Tee, Wasser und Saft	schwarzer Tee, Wasser und Saft
6	Bananentorte und Apfelkuchen	Bananentorte und Apfelkuchen
7	Schokoladeneis mit Schlagsahne	Schokoladeneis mit Schlagsahne
8	nach Bekannten und Verwandten fragen	nach Bekannten und Verwandten fragen
9	alle unterhalten sich	alle unterhalten sich
10	danach einen Spaziergang machen	danach einen Spaziergang machen

CD 1 – 46 a) Wortgruppen hören und nachsprechen
b) lange A-Laute markieren
c) vorlesen
d) Wortgruppen in Sätzen verwenden
e) Situation beschreiben

Übung 5: Mal nach Halle fahren!

[aː], [a]

1		zum Bahnhof gehen
2		eine Fahrkarte kaufen
3		am Bahnsteig 18 abfahren
4		in Halle ankommen

5	mit der Straßenbahn acht Stationen fahren
6	am Marktplatz aussteigen
7	im Stadtplan nachschauen
8	den Advokatenweg suchen
9	einen Mann nach dem Weg fragen
10	dann zum Advokatenweg laufen

CD 1 – 47 a) Wortgruppen hören und nachsprechen
b) vorlesen
c) Wortgruppen in Sätzen verwenden
d) Fahrt nach Halle beschreiben
e) recherchieren: Was kann man sich in Halle ansehen? (Kurzvortrag vorbereiten und halten)

Übung 6: Wortbildung

6.1 Trennbare Verben

[a] in *ab-*, *an-*

halten → anhalten, abhalten

1 sagen
2 fahren
3 zahlen
4 tragen
5 machen
6 schlagen

a) trennbar zusammengesetzte Verben mit *an-* und *ab-* bilden
b) alle drei Formen vorlesen
c) Verben in Wortgruppen verwenden, z. B. *ein Taxi anhalten*

6.2 Adjektive

[aː] in *-sam*

raten → ratsam

1	wachen	wachsam
2	arbeiten	arbeitsam
3	unterhalten	unterhaltsam
4	sparen	sparsam
5	lange	langsam
6	achten	achtsam

a) Adjektive mit *-sam* ergänzen
b) Paare vorlesen
c) Adjektive in Sätzen verwenden, z. B. *Es ist ratsam, ganz genau hinzuhören.*

6.3 „Sprach"-Wörter

[aː]

1
2
3
4
5
6
7
8
9
10

z. B. der Sprachunterricht, das Sprachspiel, die Sprachwissenschaft,
die Muttersprache, die Aussprache, die Minderheitensprache

a) zusammengesetzte Substantive mit *Sprach(e)- / -sprache* bilden, z. B. *die Fremdsprache*
b) Beispiele mit Artikel vorlesen, Bestimmungswort akzentuieren
c) Substantive in Wortgruppen oder Sätzen verwenden, z. B. *Fremdsprachen lernen macht Spaß.*

6.4 „Land"-Wörter

[a]

1
2
3
4
5
6
7
8
9
10

z. B. die Landschaft, die Landwirtschaft, das Landratsamt,
das Bundesland, das Ausland, Deutschland

a) zusammengesetzte Substantive *Land-/-land* bilden, Artikel ergänzen, z. B. *das Heimatland*
b) Beispiele mit Artikel vorlesen, Bestimmungswort akzentuieren
c) Substantive in Wortgruppen oder Sätzen verwenden, z. B. *so eine schöne Landschaft*

Übung 7: Zwei aus drei

[aː], [a]

der Montag – der Abend – die Kasse
→ der Montagabend, die Abendkasse

1	die Straße – die Bahn – die Schranke	die Straßenbahn, die Bahnschranke
2	die Klasse – die Arbeit – der Tag	die Klassenarbeit, der Arbeitstag
3	die Stadt – der Park – die Bank	der Stadtpark, die Parkbank
4	das Bad – der Mantel – die Tasche	der Bademantel, die Manteltasche

5 der Saft – das Glas – das Regal	das Saftglas, das Glasregal
6 das Papier – der Kram – der Laden	der Papierkram, der Kramladen

a) je zwei Substantive miteinander verbinden
b) Komposita mit Artikel vorlesen, Bestimmungswort akzentuieren
c) Substantive in Wortgruppen oder Sätzen verwenden, z. B. *Am Montagabend habe ich Zeit.*
d) recherchieren: Was ist ein *Kramladen?*

Übung 8: Aber hallo!

[aː], [a]

1 Aber hallo!
2 Nanananana!
3 Was soll denn das!
4 Das kann doch nicht wahr sein!
5 Lass das!
6 Das ist ja allerhand!
7 Mach das ja nicht noch mal!
8 Das war's mal wieder!
9 Ich hab's einfach satt!
10 So ein Saftladen!

CD 1 – 48 a) Aussprüche hören und emotional (ärgerlich) nachsprechen
b) Situationen ausdenken und emotionale Aussprüche verwenden

Übung 9: Diktat

[aː], [a]

Johann Sebastian Bach .... aus einer .... Musikerfamilie. Sein .... war .... in der Stadt .... Bachs musikalische .... wurde schon .... Er arbeitete unter anderem in .... , ... , Anhalt-Köthen und Leipzig. Sehr bekannt sind seine geistlichen und weltlichen .... seiner Werke werden auch in der .... überall in der Welt gespielt.

stammt alten
Vater Ratsmusiker
Eisenach
Begabung bald bekannt
Weimar Arnstadt

Kantaten
Zahlreiche
Gegenwart

CD 1 – 49 a) Text hören und Lücken ergänzen
b) hören und halblaut mitlesen
c) vorlesen
d) recherchieren: Was können Sie noch über Johann Sebastian Bach erfahren? (Kurzvortrag vorbereiten und halten)

Übung 10: Textarbeit (→ Übung 1)	Pausen, Akzente und Melodieverläufe
CD 1 – 44 a) Text aus Übung 1 mehrmals hören, dabei Pausen, Akzente und die Melodieverläufe vor Pausen markieren b) hören und halblaut mitlesen c) vorlesen, Tonaufnahme machen und mit Muster vergleichen d) Geschichte nacherzählen	

5 E-Laute

Übung 1: Einführung

Wer redet schon vom Ä

Eines Tages beschloss das **Ä** fortzugehen, weil **e**s an j**e**dem Orte vom **E** bedr**ä**ngt wurde. **E**s glaubte, keiner n**äh**me **e**s m**eh**r **e**rnst. Schon r**e**deten nicht w**e**nige davon, dass die Tage d**e**s **Ä** nun gez**äh**lt seien. Aber w**e**lch Erschr**e**cken: Die Kr**äh**e guckte ganz **ä**ngstlich, die kleinen H**ä**schen verst**e**ckten sich, die B**ä**ren brüllten **ä**rgerlich. Sogar die **Äh**ren auf d**e**m F**e**ld sch**ä**mten sich und meinten, man n**äh**me ihnen alle **Eh**re. Und der Konjunktiv **e**rst, **e**r wollte sogleich mit d**e**m **Ä** mitg**eh**en. **E**s gab sogar Tr**ä**nen. **E**rst ein kleines Mädchen erreichte, dass **e**s d**e**m **Ä** schn**e**ll wieder w**ä**rmer ums H**e**rz wurde. **E**s l**ä**chelte n**ä**mlich.

(Kerstin Reinke)

Es gibt drei E-Laute:
lang gespannt – [eː]
kurz ungespannt – [ɛ]
lang ungespannt – [ɛː]
‹e› in unbetonten Endungen → Lektion 12)

[eː]	e	r**e**den
	eh	m**eh**r
	ee	S**ee**
[ɛ]	e	schn**e**ll
		es
	ä	l**ä**cheln
[ɛː]	ä	B**ä**r
	äh	z**äh**len

vorderer Zungenrücken halbhoch, Kieferöffnung bei [eː] halb so groß wie bei den A-Lauten, bei [ɛː] und [ɛ] etwas größer, Lippen ungerundet

Achtung!
Keine Klangveränderung, z. B. in Richtung I-Laute!
[eː] darf nicht zu [ɛː] werden.

CD 1 – 50 hören und auf Markierungen achten

Übung 2: Familiennamen und Wörter unterscheiden

2.1

[eː] – [ɛ]

Beetz – Betz → <u>Beetz</u>

1	Dehmel	Demmel	Demmel
2	Seeler	Seller	Seeler
3	Wehlske	Welske	Welske
4	Betrig	Bettrig	Bettrig
5	Kehler	Keller	Kehler
6	Wesel	Wessel	Wesel
7	Mehlzer	Mälzer	Mälzer
8	Redig	Reddig	Redig
9	Federsen	Feddersen	Feddersen
10	Degenkolb	Deggenkolb	Degenkolb

CD 1 – 51 a) gehörten Namen unterstreichen
b) nachsprechen

c) Paare vorlesen
d) Reihen vorlesen
e) zu zweit üben: A: *Heißt deine Lehrerin (dein Lehrer) Beetz?/B: Nein, Betz ...*
f) Vornamen mit gleichem Akzentvokal finden: *Peter Beetz, Betti Betz, ...*

2.2 — [eː] – [iː] / [ɛ] – [ɪ]

Reger – Rieger → <u>Rieger</u>

1	Brehm	Briem	Brehm
2	Zeller	Ziller	Zeller
3	Welske	Wilske	Welske
4	Behtge	Bietge	Bietge
5	Kehler	Kieler	Kehler
6	Wesel	Wiesel	Wiesel
7	Melzer	Milzer	Milzer
8	Rendig	Rindig	Rendig
9	Fehlmann	Fielmann	Fielmann
10	Dellenberg	Dillenberg	Dellenberg

CD 1 – 52 a) gehörten Namen unterstreichen
b) nachsprechen
c) Paare vorlesen
d) Reihen vorlesen
e) zu zweit üben: *A: Heißt der Vermieter (die Vermieterin) Reger?/B: Nein, Rieger ...*
f) Vornamen mit gleichem Akzentvokal finden und mit Familiennamen zusammen sprechen: *Peter Reger, Dieter Rieger, ...*

Übung 3: Tätigkeiten — [eː], [ɛː], [ɛ]

lesen → [eː]

1	reden	[ ]	[eː]
2	lernen	[ ]	[ɛ]
3	zählen	[ ]	[ɛː]
4	nähen	[ ]	[ɛː]
5	kleben	[ ]	[eː]
6	rennen	[ ]	[ɛ]
7	geben	[ ]	[eː]
8	wählen	[ ]	[ɛː]
9	denken	[ ]	[ɛ]
10	gehen	[ ]	[eː]

a) E-Laute transkribieren (kurzes ungespanntes E: [ɛ], langes ungespanntes E: [ɛː], langes gespanntes E: [eː])
b) Verben vorlesen
c) Verben mit *schnell, gern, selten, wenig, etwas, jetzt, mehr, fest, zuerst, zuletzt*, ... ergänzen und im Infinitiv und in einer finiten Form vorlesen, z. B. *gern lesen – ich lese gern*, ...

Übung 4: Ferien am See

[eː], [ɛː], [ɛ]

	Übung	Lösung
1	Ferien am See	Ferien am See
2	eine helle preiswerte Ferienwohnung	eine helle preiswerte Ferienwohnung
3	ein bequemes Bett	ein bequemes Bett
4	sehr leckeres Essen	sehr leckeres Essen
5	nette und herzliche Menschen	nette und herzliche Menschen
6	aber zehn Tage Regenwetter	aber zehn Tage Regenwetter
7	täglich den Wetterbericht sehen	täglich den Wetterbericht sehen
8	sehr oft in Museen gehen	sehr oft in Museen gehen
9	sehr viel fernsehen und lesen	sehr viel fernsehen und lesen
10	im Café sitzen und Tee trinken	im Café sitzen und Tee trinken

CD 1 – 53 a) Wortgruppen hören und nachsprechen
b) lange gespannte E-Laute markieren
c) vorlesen
d) Wortgruppen in Sätzen verwenden
e) Ferien beschreiben

Übung 5: Wünsche

[ɛː]

Sie nehmen es nicht. → Wenn sie es doch nähmen!

	Übung	Lösung
1	Er ist es nicht.	Wenn er es doch wäre!
2	Sie kommt nicht.	Wenn sie doch käme!
3	Sie gibt es mir nicht.	Wenn sie es mir doch gäbe!
4	Sie tun es nicht.	Wenn sie es doch täten!
5	Er liest es nicht vor.	Wenn er es doch vorläse!
6	Sie sprechen nicht mit mir.	Wenn sie doch mit mir sprächen!
7	Er besitzt es nicht.	Wenn er es doch besäße!
8	Sie sehen uns nicht zu.	Wenn sie uns doch zusähen!
9	Sie nimmt sich keine Zeit.	Wenn sie sich doch Zeit nähme!
10	Es liegt nicht mehr da.	Wenn es doch noch daläge!

a) Sätze im Konjunktiv bilden
b) vorlesen, auf [ɛː] in Verbform achten
c) zu zweit üben: A: Sätze im Indikativ / B: Sätze im Konjunktiv – so, dass der Wunsch deutlich wird

d) weitere Beispiele nach diesem Muster finden und zu zweit üben

Übung 6: Wortbildung

6.1 Komposita

[eː]

See → der Seeweg

1	gehen	der Gehweg
2	(zu)rück	der Rückweg
3	neben	der Nebenweg
4	Fuß	der Fußweg
5	Leben	der Lebensweg
6	Radfahren	der Radfahrweg
7	Feld	der Feldweg
8	Wald	der Waldweg
9	Garten	der Gartenweg
10	Nachhause	der Nachhauseweg

a) Komposita mit dem Grundwort *-weg* bilden
b) Paare vorlesen
c) weitere Komposita mit *-weg* bilden
d) Komposita erklären: *Der Seeweg ist die Route / die Fahrt über das Meer.*

6.2 Verben

[ɛ], [eː]

legen → festlegen

1	kleben	festkleben
2	treten	festtreten
3	nehmen	festnehmen
4	stellen	feststellen
5	setzen	festsetzen
6	stecken	feststecken
7	stehen	feststehen
8	halten	festhalten

a) zusammengesetzte Verben mit *fest-* bilden
b) beide Formen vorlesen
c) Wörter in Wortgruppen verwenden, z. B. *die Strecke festlegen, ...*

Übung 7: Das Wetter

[eː], [ɛː], [ɛ]

1 täglich den Wetterbericht sehen
2 jetzt Wetterverschlechterung
3 im Westen kälter
4 ständig Regen
5 später heftige Schneefälle
6 wenig Sonne
7 gegen Ende der Woche wieder wärmer
8 Sonne und Regen im Wechsel
9 Temperaturen wenig über zehn Grad
10 Wassertemperatur der Seen sechs Grad

CD 1 – 54 a) Wortgruppen hören und nachsprechen
b) vorlesen
c) Wortgruppen in Sätzen verwenden
d) zusammenhängend über das Wetter sprechen
e) Wetterbericht im Fernsehen oder Radio hören, Notizen machen und über das Wetter sprechen

Übung 8: Redensarten

[eː], [ɛː], [ɛ]

1 Alles leeres Gerede!
2 Leben und leben lassen!
3 Neue Besen kehren gut.
4 Jeder redet, wie er es versteht!
5 Wer zu spät kommt, den bestraft das Leben!
6 Ehrlich währt am längsten!
7 Je mehr Verstand desto weniger Worte!
8 Nehmen ist leichter als geben!
9 Jeder hat seine Fehler!
10 Lass mich nicht im Regen stehen!

CD 1 – 55 a) Redensarten hören und emotional (nachdrücklich) nachsprechen
b) Redensarten vorlesen, auf lange gespannte E-Laute achten
c) Situationen ausdenken und Redensarten verwenden

Übung 9: Diktat

[eː], [ɛː], [ɛ]

B...rtolt Br...cht, von seinen Ver......rern der große B. B. genannt, war ein w...ltbekannter Schriftst...ller und Th...aterth...or...tiker. ...r schrieb L...rstücke und sp...ter vor allem Dramen. Häufig w...lte er sozialkritische Th...men. In seiner Dreigroschenoper zum Beispiel erz......lt er vom ...l...nd in d...n großen St...dten, zugleich aber auf vergnügliche Weise, wie sich ein n...ttes M...dchen in einen großen Verbr...cher verliebt. T...xte aus dieser Oper, z. B. die Ballade vom angen......men L...ben, w...rden auch g...rn r...zitiert.

CD 1 – 56 a) Text hören und Lücken ergänzen
b) hören und halblaut mitlesen
c) vorlesen
d) recherchieren: Was können Sie noch über Bertolt Brecht erfahren? Was hat er geschrieben? (Kurzvortrag vorbereiten und halten)

Bertolt Brecht, von seinen Verehrern der große B. B. genannt, war ein weltbekannter Schriftsteller und Theatertheoretiker. Er schrieb Lehrstücke und später vor allem Dramen. Häufig wählte er sozialkritische Themen. In seiner Dreigroschenoper zum Beispiel erzählt er vom Elend in den großen Städten, zugleich aber auf vergnügliche Weise, wie sich ein nettes Mädchen in einen großen Verbrecher verliebt. Texte aus dieser Oper, z. B. die Ballade vom angenehmen Leben, werden auch gern rezitiert.

Übung 10: Textarbeit (→ Übung 1)

Pausen, Akzente und Melodieverläufe

CD 1 – 50 a) Text aus Übung 1 mehrmals hören, dabei Pausen, Satzakzente und Melodieverläufe vor Pausen markieren
b) hören und halblaut mitlesen
c) vorlesen, Tonaufnahme machen und mit Muster vergleichen
d) Geschichte nacherzählen

6 I-Laute

Übung 1: Einführung

W**ie**sel
saß auf einem K**ie**sel
inm**i**tten Bachger**ie**sel.
W**i**sst **i**hr
weshalb?

Das Mondkalb
verr**ie**t es m**i**r
im St**i**llen:
Das raff**inie**rte T**ie**r
tat's um des Reimes w**i**llen.

(Christian Morgenstern)

CD 1 – 57 hören und auf Markierungen achten

Es gibt zwei I-Laute:
lang gespannt – [iː]
kurz ungespannt – [ɪ]

[iː]	i	mir
	ie	T**ie**r
	ih	**ih**r
	ieh	(er) s**ieh**t
[ɪ]	i	st**i**ll
		im, b**i**s

vorderer Zungenrücken hoch, Kieferöffnung bei [iː] klein, bei [ɪ] etwas größer, Lippen ungerundet

Achtung!
Keine Klangveränderung, z. B. in Richtung E-Laute!

Übung 2: Minimalpaare

[eː] – [iː] / [ɛ] – [ɪ]

mehr – mir → mir

1	wer	wir	wer
2	legen	liegen	liegen
3	leben	lieben	lieben
4	beten	bieten	beten
5	flehen	fliehen	fliehen
6	Teer	Tier	Tier
7	Welle	Wille	Welle
8	Fenster	finster	finster
9	Betten	bitten	bitten
10	Stelle	Stille	Stelle

CD 1 – 58 a) gehörtes Wort unterstreichen
b) nachsprechen
c) Paare vorlesen
d) Reihen vorlesen
e) Wortpaare in einer Wortgruppe verwenden, z. B. *nicht mehr mit mir*

Übung 3: Viele Sachen auf dem Tisch — [iː], [ɪ]

Tisch → [ɪ]

Nr.	Wort		Lösung
1	Brille	[ ]	[ɪ] die
2	Ring	[ ]	[ɪ] der
3	Brief	[ ]	[iː] der
4	Birne	[ ]	[ɪ] die
5	Milch	[ ]	[ɪ] die
6	Pille	[ ]	[ɪ] die
7	Bier	[ ]	[iː] das
8	Zwiebel	[ ]	[iː] die
9	Bild	[ ]	[ɪ] das
10	Fisch	[ ]	[ɪ] der

a) I-Laute transkribieren
b) Wörter mit Artikel vorlesen
c) Wörter in Sätzen verwenden, z. B. *Die Brille liegt auf dem Tisch.*

Übung 4: Zeitansagen — [iː]

Nr.	Satz	Lösung
1	Es ist vier Uhr.	Es ist vier Uhr.
2	Es ist vier Uhr vier.	Es ist vier Uhr vier.
3	Es ist vier Uhr vierundvierzig.	Es ist vier Uhr vierundvierzig.
4	Es ist sieben Uhr.	Es ist sieben Uhr.
5	Es ist sieben Uhr sieben.	Es ist sieben Uhr sieben.
6	Es ist sieben Uhr siebzehn.	Es ist sieben Uhr siebzehn.
7	Es ist siebzehn Uhr.	Es ist siebzehn Uhr.
8	Es ist siebzehn Uhr sieben.	Es ist siebzehn Uhr sieben.
9	Es ist siebzehn Uhr siebzehn.	Es ist siebzehn Uhr siebzehn.
10	Es ist siebzehn Uhr siebenundzwanzig.	Es ist siebzehn Uhr siebenundzwanzig.

a) lange I-Laute markieren
b) vorlesen
c) Wie spät ist es gerade?
d) Was machen Sie *um vier, um sieben, um siebzehn Uhr, um vierundzwanzig Uhr?* z. B. *Um sieben stehe ich auf. …*

Übung 5: Verben

5.1 Verben auf *-ieren* — [iː]

der Fotograf → fotografieren

Nr.	Nomen	Lösung
1	das Studium	studieren
2	der Verlust	verlieren
3	die Reaktion	reagieren

4 die Fantasie	fantasieren
5 die Musik	musizieren
6 die Probe	probieren
7 der Protest	protestieren
8 die Reparatur	reparieren
9 die Existenz	existieren
10 die Korrektur	korrigieren

a) Verben mit -*ieren* ergänzen
b) Verben vorlesen
c) Verben in Sätzen verwenden, z. B. mit folgenden Subjekten: *Kinder, Politiker, Passagiere, Polizisten, Touristen, Dichter, Schauspieler, Verliebte, Mieter, Tiere, Wissenschaftler ...*, z. B. *Touristen fotografieren viel.*
d) weitere Verben mit *-ieren* finden und in Sätzen verwenden

5.2 Verbformen Präsens

[iː], [ɪ]

essen → du isst, er isst

1 messen	du misst, er misst
2 helfen	du hilfst, er hilft
3 legen	du liegst, er liegt
4 sehen	du siehst, er sieht
5 nehmen	du nimmst, er nimmt
6 geben	du gibst, er gibt
7 treten	du trittst, er tritt
8 sprechen	du sprichst, er spricht
9 treffen	du triffst, er trifft
10 vergessen	du vergisst, er vergisst

a) Verben in 2. und 3. Person bilden
b) vorlesen
c) Verben in Fragesätzen (Bitten) verwenden, z. B. *Isst du das bitte noch?*

5.3 Verbformen Präteritum

[iː], [ɪ]

braten → ich briet, wir brieten

1 schreiben	ich schrieb, wir schrieben
2 raten	ich riet, wir rieten
3 fallen	ich fiel, wir fielen
4 halten	ich hielt, wir hielten
5 gehen	ich ging, wir gingen
6 schlafen	ich schlief, wir schliefen
7 braten	ich briet, wir brieten

8 beraten	ich beriet, wir berieten
9 anfangen	ich fing an, wir fingen an
10 anhalten	ich hielt an, wir hielten an

a) Verben in 1. Person Singular und Plural Präteritum bilden
b) vorlesen
c) Verbformen in Sätzen verwenden, z. B. *Ich briet mir ein Schnitzel.*

Übung 6: Schnellsprechverse — [iː], [ɪ]

1	Wenn Fliegen hinter Fliegen fliegen, fliegen Fliegen Fliegen nach.
2	Fischers Fritz fischt frische Fische. Frische Fische fischt Fischers Fritz.
3	Sieben Schneeschipper schippen sieben Schippen Schnee.

CD 1 – 59 a) Sätze hören und nachsprechen
b) hören und halblaut mitlesen
c) vorlesen – immer schneller werden
d) Sätze frei sprechen

Übung 7: Auf einem Schiff — [iː], [ɪ]

1	Wie tief ist hier das Meer?
2	Wie viele Fischarten gibt es hier?
3	Wie viel wiegt das Schiff?
4	Wie viele Liter Diesel verbraucht das Schiff?
5	Wie viele Kabinen gibt es?
6	Wie groß sind die Kabinen?
7	Gibt es hier ein Schwimmbad?
8	Wie viele Passagiere sind auf dem Schiff?
9	Wie lange wird die Fahrt dauern?
10	Ist es hier immer so windstill?

CD 1 – 60 a) Fragen hören und mitschreiben (Diktat)
b) Fragen hören und nachsprechen
c) vorlesen
d) zu zweit üben: Situation ausdenken – Fragen stellen und beantworten

Übung 8: Verliebte

[iː], [ɪ]

1 Meine Liebste! Mein Liebster!
2 Du bist so lieb.
3 Ich liebe dich.
4 Ich will dich wiedersehen.
5 Ich will dich nie wieder verlieren.
6 Liebst du mich auch?
7 Du bist mir so wichtig.
8 Willst du mich heiraten?

CD 1 – 61 a) Aussprüche hören und emotional (liebevoll) nachsprechen
b) Situationen ausdenken und emotionale Aussprüche verwenden
c) andere liebe Sätze sprechen, in denen *lieb, lieben, Liebe* vorkommen

Übung 9: Einen alten Freund treffen

[iː], [ɪ]

Begrüßen Sie Dieter!	Hallo, Dieter. / Tag, Dieter.
Erkundigen Sie sich,	
– wie es ihm geht,	Wie geht's dir? / Geht's dir gut?
– was er studiert,	Was studierst du? / Studierst du Medizin / Mathematik / Physik?
– was seine Freundin Inge macht,	Was macht Inge? / Geht es ihr gut? / Bist du noch mit ihr zusammen?
– nach Inges Studium,	Was studiert Inge? / Studiert Inge Germanistik / Biologie / Journalistik? /
– wo er jetzt wohnt (Liebigstraße 44, 7. Stock)!	Wohnst du noch in der Liebigstraße 44, im 7. Stock?
Verabschieden Sie sich von Dieter!	Wiedersehen. / Mach's gut, Dieter. / Bis bald.

a) Sätze bilden und sprechen
CD 1 – 62 b) (eine mögliche) Lösung hören und nachsprechen
c) zu zweit üben: fragen und antworten

Übung 10: Textarbeit (→ Übung 1)

Pausen, Akzente und Melodieverläufe

CD 1 – 57 a) Gedicht aus Übung 1 nochmals hören, dabei Pausen, Akzente und Melodieverläufe vor Pausen markieren
b) hören und halblaut mitlesen
c) vorlesen, Tonaufnahme machen und mit Muster vergleichen
d) Gedicht auswendig lernen und aufsagen

7 O-Laute

Übung 1: Einführung

S**o**nne, M**o**nd und Sterne,
ich hab dich ja s**o** gerne.

Hab S**o**nne im Herzen,
ob's stürmt **o**der schneit,
ob der Himmel v**o**ll W**o**lken
und die Erde v**o**ll Streit.

Ringelringel R**o**sen,
süße Aprik**o**sen.

(Sprüche)

Es gibt zwei O-Laute:
lang gespannt – [oː]
kurz ungespannt – [ɔ]

[oː]	o	M**o**nd
	oh	w**oh**nen
	oo	M**oo**s
[ɔ]	o	v**o**ll
		oft
		ob

hinterer Zungenrücken halbhoch, Kieferöffnung wie bei den E-Lauten, Lippen deutlich gerundet, bei [oː] kleinere Kieferöffnung und stärkere Lippenrundung als bei [ɔ]

Achtung!
Keine Klangveränderung, z. B. in Richtung U-Laute!

CD 1 – 63 hören und auf Markierungen achten

Übung 2: Namen und Wörter unterscheiden

2.1

[oː] – [ɔ]

Mohler – Moller → <u>Moller</u>

1	Roth	Rott	Roth
2	Krohme	Kromme	Kromme
3	Hofmann	Hoffmann	Hoffmann
4	Große	Grosse	Große
5	Scholer	Scholler	Scholer
6	Moosberg	Mossberg	Moosberg
7	Kohler	Koller	Koller
8	Bohlen	Bollen	Bohlen

CD 1 – 64 a) gehörten Namen unterstreichen
b) nachsprechen
c) Paare vorlesen
d) Reihen vorlesen
e) zu zweit üben: *A: Wohnt hier Frau Mohler? / B: Nein, hier wohnt Frau Moller. ...*

2.2 — [oː] – [ɔ]

	[oː]	[ɔ]
Sonne →		x
1		
2		
3		
4		
5		
6		
7		
8		

CD 1 – 65 a) gehörten O-Laut ankreuzen
b) nachsprechen

[oː]	[ɔ]	
	x	offen
x		Moos
	x	sollen
x		vor
x		Ofen
	x	fort
x		Sohlen
	x	Most

Übung 3: Wir kochen — [oː], [ɔ]

ohne Kochrezept → [oː] [ɔ]

1	ein hoher Topf	[ ]	[ ]
2	rohe Kartoffeln	[ ]	[ ]
3	rote Bohnen	[ ]	[ ]
4	eine große Zitrone	[ ]	[ ]
5	Knoblauchsoße	[ ]	[ ]
6	Rosenkohl	[ ]	[ ]
7	Pepperonischoten	[ ]	[ ]
8	Obst und Most	[ ]	[ ]

a) O-Laute transkribieren
b) Wortgruppen vorlesen
c) Wortgruppen in Sätzen verwenden, z. B. *Wir kochen ohne Kochrezept.*
d) mit Wortgruppen Kochprozess beschreiben

[oː]	[ɔ]
[oː]	[ɔ]
[oː]	[oː]
[oː]	[oː]
[oː]	[oː]
[oː]	[oː]
[oː]	[oː]
[oː]	[ɔ]

Übung 4: Erholung — [oː], [ɔ]

1 im Hochsommer an die Ostsee
2 mit dem großen roten Koffer
3 eine Woche in einer Ferienwohnung
4 mit dem Motorboot fahren
5 oder in der Sonne liegen
6 Rollmops und Schollen essen
7 Fotos vom Rosengarten machen
8 Erholung ohne Sorgen

a) lange O-Laute markieren
b) Wortgruppen vorlesen, auf lange O-Laute achten

im Hochsommer an die Ostsee
mit dem großen roten Koffer
eine Woche in einer Ferienwohnung
mit dem Motorboot fahren
oder in der Sonne liegen
Rollmops und Schollen essen
Fotos vom Rosengarten machen
Erholung ohne Sorgen

c) Wortgruppen in Sätzen verwenden
d) Erholungs-Geschichte erzählen

Übung 5: So viele Fragen

[oː], [ɔ]

1 Woher kommst du?
2 Wo wohnst du?
3 Wohin gehst du morgen?
4 Fährst du übermorgen fort?
5 Was hast du am Montag vor?
6 Gehst du am Donnerstag fort?
7 Bist du am Sonnabend noch hier?
8 Wohin gehst du am Sonntag?
9 Wohin reist du im Sommer?
10 Wohin fährst du im Oktober?

CD 1 – 66 a) Fragen hören und nachsprechen
b) vorlesen
c) zu zweit üben: Fragen stellen und beantworten
d) weitere Fragen mit *wo, woher, wohin* bilden und zu zweit üben

Übung 6: Verben

6.1 Trennbar zusammengesetzte Verben

[oː] in *vor-*

lassen → vorlassen

1 sagen
2 singen
3 machen
4 gehen
5 haben
6 schlagen
7 kommen
8 lesen

a) Verben mit *vor-* bilden
b) vorlesen
c) Wörter in Sätze verwenden, z. B. *Lassen Sie mich bitte vor!*

6.2 Verben in der 3. Person Präteritum	[oː], [ɔ]
sie frieren → er fror	
1 sie beschließen	er beschloss
2 sie ziehen	er zog
3 sie betrügen	er betrog
4 sie bieten	er bot
5 sie fliegen	er flog
6 sie schieben	er schob
7 sie verbieten	er verbot
8 sie wiegen	er wog

a) Verben in der 3. Person Präteritum bilden
b) vorlesen
c) Wörter in Sätzen verwenden, z. B. *Er fror ohne Mantel.*

Übung 7: Adjektive	[ɔ] in *-voll*
Liebe → liebevoll	
1 Sorgen	sorgenvoll
2 Humor	humorvoll
3 Vorwurf	vorwurfsvoll
4 Hoffnung	hoffnungsvoll
5 Verantwortung	verantwortungsvoll
6 Hochachtung	hochachtungsvoll
7 Risiko	risikovoll
8 Vorurteil	vorurteilsvoll

a) Adjektive mit *-voll* bilden
b) vorlesen, *-voll* nicht akzentuieren
c) *Wieso*-Fragen bilden, z. B. *Wieso bist du so liebevoll?*
d) Fragen beantworten

Übung 8: So froh!	[oː], [ɔ]
1	Hallo! Na so was!
2	Schön, dass ihr schon kommt!
3	Ich bin so froh!
4	Kommt doch rein!
5	Feiern wir den tollen Erfolg!
6	Unverhofft kommt oft!
7	Zum Wohl!
8	Wohl bekomm's!
9	Prost.
10	Hoch sollt ihr leben!

CD 1 – 67 a) Aussprüche hören und emotional (fröhlich) nachsprechen
b) Situationen ausdenken und emotionale Aussprüche verwenden

Übung 9: Diktat

[oː], [ɔ]

.... Amadeus Mozart wurde 1756 in Salzburg .... Er war der .... des Violinisten .... Mozart. .... mit viereinhalb Jahren .... er .... schreiben. Als Kind spielte er am .... des Erzbischofs .... 1763 reiste er mit seinem Vater nach Frankfurt, Paris und .... Zu dieser Zeit wurden bereits seine ersten .... gedruckt. 1769 wurde er am Salzburger .... und 1779 .... der .... sah in Mozart vor allem einen Bediensteten. Deshalb ging Mozart nach Wien. Dort starb der .... schon 1791. Mozart .... zahlreiche Sonaten, Violin- und Klavierkonzerte, ... und ....

Wolfgang
geboren Sohn Leopold
Schon konnte
Noten Hof
vor
London
Violinkonzerte
Hof Konzertmeister
Hoforganist Doch Bischof

hochbegabte
Komponist komponierte

Sinfonien Opern

CD 1 – 68 a) Text hören und Lücken ergänzen
b) hören und halblaut mitlesen
c) vorlesen
d) recherchieren: Was können Sie noch über Mozart erfahren? (Kurzvortrag vorbereiten und halten)

Übung 10: Textarbeit (→ Übung 1)

Pausen, Akzente und Melodieverläufe

CD 1 – 63 a) Sprüche aus Übung 1 nochmals hören, dabei Pausen, Akzente und Melodieverläufe vor Pausen markieren
b) hören und halblaut mitlesen
c) vorlesen, Tonaufnahme machen und mit Muster vergleichen
d) Sprüche auswendig lernen und aufsagen

8 U-Laute

Übung 1: Einführung

K**u**rt gab J**u**lchen einen K**u**ss
unter'm Schirm beim Regeng**u**ss.
J**u**lchen w**u**rde sehr verlegen,
nahm es dann entsetzlich kr**u**mm.
Schaut sich n**u**n, ist K**u**rt z**u**gegen,
immerz**u** nach Regen **u**m.

(Anonym)

In **u**nser'm Dorf, da gibt's eine K**uh**,
die fährt mit dem Fahrrad **u**nd singt noch daz**u**.
Sie grüßt alle Leute **u**nd schwenkt den H**u**t.
Uns Kindern gefällt sie besonders g**u**t.
Und sind wir z**u**sammen **u**nd singen im Chor,
da tanzt die K**uh** **u**ns gleich etwas vor.
Dann klatschen wir Beifall **u**nd r**u**fen daz**u**:
Ist das nicht die schönste **u**nd l**u**stigste K**uh**?

(Kinderlied)

Es gibt zwei U-Laute:
lang gespannt – [uː]
kurz ungespannt – [ʊ]

[uː]	u	gut
	uh	**Kuh**
[ʊ]	u	Kuss

hinterer Zungenrücken hoch, Kieferöffnung klein wie bei den I-Lauten, Lippen deutlich gerundet, bei [uː] kleinere Kieferöffnung und stärkere Lippenrundung als bei [ʊ]

Achtung!
Keine Klangveränderung, z. B. in Richtung O-Laute!

CD 1 – 69 hören und auf Markierungen achten

Übung 2: U – Laute unterscheiden

2.1

	[uː]	[ʊ]
der Kuss →		x
1		
2		
3		
4		
5		
6		
7		
8		
9		
10		

CD 1 – 70 a) gehörten U-Laut ankreuzen
b) nachsprechen
c) vorlesen

[uː] – [ʊ]

[uː]	[ʊ]	
x		der Fuß
	x	der Fluss
x		der Gruß
	x	der Bus
	x	der Schluss
x		der Ruhm
x		der Husten
	x	das Pulver
	x	das Muster
	x	der Hund

d) Substantive mit passenden Adjektivattributen *(bunt, kurz, kaputt, lustig, rund, mutig, super, gut, klug, wunderbar, unruhig, ungesund, ...)* ergänzen, z. B. *ein wunderbarer Kuss ....*

2.2

[uː] – [oː] / [ʊ] – [ɔ] / [uː] – [ʊ]

Muller – Moller → Moller

1	Muhler	Mohler	Mohler
2	Muhler	Muller	Muhler
3	Muller	Moller	Moller
4	Most	Must	Must
5	Kuster	Koster	Koster
6	Rode	Rude	Rude
7	Buhlmann	Bullmann	Bullmann
8	Wuhlberg	Wohlberg	Wohlberg
9	Burkhard	Borkhard	Borkhard
10	Roderich	Ruderich	Ruderich

CD 1 – 71 a) gehörten Namen unterstreichen
b) nachsprechen
c) Namen paarweise vorlesen
d) zu zweit üben: *A: Heißt der Musiker (die Musikerin) Muller oder Moller? / B: Er (Sie) heißt ...*

Übung 3: Schlagzeilen in der Zeitung

[uː] – [oː] / [ʊ] – [ɔ]

1	_______ im Gebirge (Kur / Chor)	Kur
2	Ein Museum voller ________ (Uhren / Ohren)	Uhren
3	________ zum Glück (Tour / Tor)	Tour
4	Gesunder __________ (Sport / Spurt)	Sport
5	_________angebot! (Gruß- / Groß-)	Großangebot
6	________ muss es sein! (Moos / Mus)	Mus
7	Auf zum ________! (Schluss / Schloss)	Schloss
8	_________ auf Theaterbühne! (Russe / Rosse)	Russe

CD 1 – 72 a) hören und fehlendes Wort ergänzen
b) nachsprechen
c) Wörter paarweise sprechen: *Kur – Chor, ...*
d) Schlagzeilen vorlesen
e) Situation zur Schlagzeile ausdenken und erzählen

Übung 4: Antonyme mit *un-* [ʊ]

das Glück → das Unglück, unglücklich

1	die Geduld	die Ungeduld, ungeduldig
2	die Schuld	die Unschuld, unschuldig
3	die Pünktlichkeit	die Unpünktlichkeit, unpünktlich
4	die Freundlichkeit	die Unfreundlichkeit, unfreundlich
5	die Ruhe	die Unruhe, unruhig
6	die Genauigkeit	die Ungenauigkeit, ungenau

a) Antonyme mit *un-* (Substantive und Adjektive) bilden
b) paarweise vorlesen: *Glück – Unglück, glücklich – unglücklich*
c) Wörter in Fragen verwenden, z. B. *Warum bist du so unglücklich?*

Übung 5: Trennbare Verben [uː], [ʊ]

umgraben → er grub um [uː] [ʊ]

		[uː]	[ʊ]	Lösung	
1	durchfahren	[ ]	[ ]	er fuhr durch	[uː] [ʊ]
2	zuschlagen	[ ]	[ ]	er schlug zu	[uː] [uː]
3	zumuten	[ ]	[ ]	er mutete (jdm. etwas) zu	[uː] [uː]
4	herumfahren	[ ]	[ ]	er fuhr herum	[uː] [ʊ]
5	umfahren	[ ]	[ ]	er fuhr (etwas) um	[uː] [ʊ]
6	umladen	[ ]	[ ]	er lud (etwas) um	[uː] [ʊ]

a) Verben in der 3. Person Singular Präteritum bilden
CD 1 – 73 b) Lösung hören und U-Laute transkribieren
c) Lösung hören und nachsprechen, Wortakzent beachten
d) Lösung vorlesen
e) Lösungen in Sätzen verwenden, z. B. *Er grub das Blumenbeet um.*

Übung 6: Kuchen backen – Suppe kochen [uː], [ʊ]

Wir brauchen:
einen geputzten Blumenkohl ... → zum Suppekochen

1	ein Pfund Suppennudeln ...	zum Suppekochen
2	hundert Gramm Zucker ...	zum Kuchenbacken
3	zweihundert Gramm Butter ...	zum Kuchenbacken
4	einen Teelöffel Backpulver ...	zum Kuchenbacken
5	ein Pfund Putenbrust ...	zum Suppekochen
6	ein Bund Petersilie ...	zum Suppekochen

7 einen Schuss Rum ...	zum Kuchenbacken
8 zum Schluss Puderzucker	zum Kuchenbacken

a) Lösung ergänzen
b) vorlesen
c) Was brauchen Sie noch zum Kuchenbacken oder zum Suppekochen?

Übung 7: Urlaub in Budapest — [uː], [ʊ]

1	Urlaub im Juni
2	Lust auf Ungarn
3	das Urlaubsziel aussuchen
4	ein Hotelzimmer in Budapest buchen
5	mit dem Zug zum Flughafen fahren
6	mit dem Flugzeug nach Budapest fliegen
7	nur 2 Stunden Flug
8	in Budapest einen wunderbaren Urlaub erleben

CD 1 – 74 a) Wortgruppen hören und nachsprechen
b) vorlesen
c) Wortgruppen in Sätzen verwenden und Urlaubsreise beschreiben
d) recherchieren: Was kann man sich in Budapest ansehen? (Kurzvortrag vorbereiten und halten)

Übung 8: Wut! — [uː], [ʊ]

1	Du musst doch verrückt sein!
2	Es geht jetzt um die Wurst!
3	Warum tust du das!
4	So ein Unfug.
5	Du und dein Übermut!
6	Zum Kuckuck noch mal!
7	Ich wusste es.
8	Aber genug ist genug!
9	Schluss jetzt!
10	Du dumme Nudel!

CD 1 – 75 a) Aussprüche hören und emotional (wütend) nachsprechen
b) Situationen ausdenken und emotionale Aussprüche verwenden

Übung 9: Diktat

[uː], [ʊ]

Alexander von Humboldt war ein .... von .... Mit seinen .... und .... er für die gesamte Naturwissenschaft neue .... Er unternahm viele Reisen, ... anderem nach .... und Venezuela. In Venezuela durchforschte er die .... und .... Sein .... Wilhelm beschäftigte sich mit .... , ... und Sprachwissenschaften. Als preußischer Minister nahm er .... auf das .... , um die .... Ausbildung junger Menschen zu fördern.

Naturforscher
Weltruhm Studien
Untersuchungen schuf
Grundlagen
unter Kuba
Flussgebiete
Urwälder Bruder
Kunst Kultur
Einfluss
Schulwesen berufliche

CD 1 – 76 a) Text hören und Lücken ergänzen
b) hören und halblaut mitlesen
c) vorlesen
d) recherchieren: Was können Sie noch über die Brüder Humboldt erfahren? Kurzvortrag vorbereiten und halten

Übung 10: Textarbeit (→ Übung 1)

Pausen, Akzente und Melodieverläufe

CD 1 – 69 a) Gedichte aus Übung 1 nochmals hören, dabei Pausen, Akzente und Melodieverläufe vor Pausen markieren
b) hören und halblaut mitlesen
c) vorlesen, Tonaufnahme machen und mit Muster vergleichen
d) ein Gedicht auswendig lernen und aufsagen

9 Ö-Laute

Übung 1: Einführung

Heidenröslein

Sah ein Knab ein R**ö**slein stehn,
R**ö**slein auf der Heiden,
war so jung und morgensch**ö**n,
lief er schnell, es nah zu sehn,
sah's mit vielen Freuden.
R**ö**slein, R**ö**slein, R**ö**slein rot,
R**ö**slein auf der Heiden.

(Johann Wolfgang von Goethe)

Stecknadel und Nähnadel

Welch ein Gesch**ö**pfchen!
Wie auch geboren,
nie wachsen Ohren
ihm am K**ö**pfchen.
Es klingt wie im Märchen:
Hat es ein **Öh**rchen,
hat es kein K**ö**pfchen,
hat es kein **Öh**rchen,
hat es ein K**ö**pfchen,
das arme Tr**ö**pfchen.

(Clemens Brentano)

Es gibt zwei Ö-Laute:
lang gespannt – [øː]
kurz ungespannt – [œ]

[øː]	ö	sch**ö**n
	öh	**Öh**rchen
[œ]	ö	L**ö**ffel

vorderer Zungenrücken halbhoch, Kieferöffnung wie bei den E-Lauten, Lippen deutlich gerundet, bei [øː] kleinere Kieferöffnung und stärkere Lippenrundung als bei [œ].

Achtung!
Keine Klangveränderung, z. B. in Richtung O- oder E-Laute!

CD 1 – 77 hören und auf Markierungen achten

Übung 2: Namen und Wörter unterscheiden

2.1

[eː] – [øː] / [ɛ] – [œ]

Zellig – Zöllig → <u>Zöllig</u>

1	Sehnel	Söhnel	Söhnel
2	Heller	Höller	Heller
3	Gehre	Göhre	Göhre
4	Meller	Möller	Möller
5	Resel	Rösel	Resel
6	Wärtke	Wörtke	Wärtke
7	Lesselberg	Lösselberg	Lösselberg
8	Kenneke	Könneke	Könneke

CD 1 – 78 a) gehörten Namen markieren
b) hören und nachsprechen
c) Paare vorlesen
d) Reihen vorlesen
e) zu zweit üben: *A: Heißt diese schöne Frau Zellig oder Zöllig? / B: Sie heißt ...*

2.2 — [oː] – [øː] / [ɔ] – [œ]

Schlosser – Schlösser → <u>Schlösser</u>

1	losen	lösen	losen
2	schon	schön	schön
3	große	Größe	große
4	fordern	fördern	fordern
5	Boden	Böden	Böden
6	Ofen	Öfen	Öfen
7	hohe	Höhe	hohe
8	Vogel	Vögel	Vögel

CD 1 – 79 a) gehörtes Wort markieren
b) nachsprechen
c) Paare vorlesen
d) Reihen vorlesen

Übung 3: Eigenschaften — [øː], [œ]

schön → [øː]

1	blöd	[ ]	[øː]
2	nervös	[ ]	[øː]
3	böse	[ ]	[øː]
4	plötzlich	[ ]	[œ]
5	fröhlich	[ ]	[øː]
6	öffentlich	[ ]	[œ]
7	höflich	[ ]	[øː]
8	persönlich	[ ]	[øː]

a) Ö-Laute transkribieren
b) vorlesen
c) Adjektive mit passenden Substantiven *(König, Löffel, Wörterbuch, Möbel, Töchter, Söhne, Dörfer, Röcke, ...)* ergänzen und Wortgruppen bilden, z. B. *schöne Söhne*

Übung 4: Orte in Deutschland

4.1 Ortsnamen

[øː], [œ]

Görlitz → (k)

1	Höchst	( )	l
2	Köln	( )	k
3	Köthen	( )	l
4	Königsee	( )	l
5	Löbau	( )	l
6	Zörbig	( )	k
7	Mönchsgrün	( )	k
8	Köpenick	( )	l
9	Wörth	( )	k
10	Wörlitz	( )	k

CD 1 – 80 a) hören und Länge des Ö-Lauts angeben: lang (l), kurz (k)
b) nachsprechen
c) vorlesen
d) recherchieren: In welchen Bundesländern liegen diese Orte?

4.2 Interessantes in deutschen Orten

[øː], [œ]

1 der Dom in Köln
2 die Kölner Fastnacht
3 der Hauptmann von Köpenick
4 Zörbiger Konfitüre
5 die Brauerei in Köstritz
6 der Löbauer Turm
7 Porzellan aus Höchst
8 der Wörlitzer Park

CD 1 – 81 a) Wortgruppen hören und nachsprechen
b) vorlesen
c) Wortgruppen in Sätzen verwenden, z. B. *Der Kölner Dom ist wunderschön.*
d) recherchieren, z. B.: Was kann man über den Wörlitzer Park erzählen? Wer war der Hauptmann von Köpenick?
(Kurzvortrag vorbereiten und halten)

Übung 5: Schriftsteller und Dichter

[øː], [œ]

Jakob .... → Böhme

1 Johann Wolfgang	von Goethe
2 Justus	Möser
3 Ludwig	Hölty
4 Friedrich	Hölderlin
5 Ludwig	Börne
6 Theodor	Körner
7 Eduard	Mörike
8 Heinrich	Böll

CD 1 – 82 a) hören und Familiennamen ergänzen
b) nachsprechen
c) vorlesen
d) recherchieren: Wann haben diese Schriftsteller gelebt?
z. B. *Jakob Böhme lebte von ____ bis ____.*
Was haben sie geschrieben?
z. B. *Jakob Böhme schrieb das Buch „Aurora oder Morgenröte im Aufgang“.*

Übung 6: Wortbildung

6.1 Singular – Plural

[oː] → [øː] / [ɔ] → [œ]

das Wort → die Wörter

1 das Korn	die Körner
2 der Block	die Blöcke
3 der Strom	die Ströme
4 der Ton	die Töne
5 der Sohn	die Söhne
6 die Tochter	die Töchter
7 der Korb	die Körbe
8 der Kopf	die Köpfe

a) Pluralformen bilden
b) Paare vorlesen
c) Substantive mit Zahlwort *zwölf* ergänzen, z. B. *zwölf Wörter*
d) weitere Beispiele finden

6.2 Diminutivformen

[oː] → [øː] / [ɔ] → [œ]

das Brot → das Brötchen

1 das Korn	das Körnchen
2 der Korb	das Körbchen

3 der Koffer	das Köfferchen
4 das Schloss	das Schlösschen
5 die Wolke	das Wölkchen
6 das Wort	das Wörtchen
7 die Rose	das Röschen
8 der Kopf	das Köpfchen

a) Diminutivformen mit *-chen* bilden
b) Paare vorlesen
c) Beispiele in Wortgruppen verwenden, z. B. *ein Brötchen mit Konfitüre*
d) weitere Beispiele finden

6.3 Adjektive — [oː] → [øː] / [ɔ] → [œ]

der Norden → nördlich

1 das Wort	wörtlich
2 der Osten	östlich
3 der Ort	örtlich
4 der Hof	höflich
5 der Gott	göttlich
6 die Person	persönlich
7 die Woche	wöchentlich
8 der Tod	tödlich

a) Adjektive mit *-lich* bilden
b) Paare vorlesen
c) Beispiele in Sätzen verwenden, z. B. *Nördlich von Köln liegt ...*

Übung 7: Ein sprechendes Ausspracheworterbuch — [øː], [œ]

1 unbekannte Wörter anhören
2 Regeln für die Aussprache der Wörter finden
3 Wörter hören und nachsprechen
4 die Aussprache von Wörtern üben
5 die Akzentuierung von Wörtern üben
6 Wörter hören und aufschreiben
7 Wörter hören und transkribieren
8 Wörter im Kontext hören und üben

a) Wortgruppen in Sätzen verwenden, z. B. *Sie können unbekannte Wörter ...*
b) über ein „Sprechendes Aussprachewörterbuch" sprechen

Übung 8: Freundlich oder unfreundlich?

[øː], [œ]

	☺	☹	
Ach wie schön! →	x		
1	x		Na schön.
2		x	Das ist ja sehr schön.
3	x		Das ist ja noch schöner.
4		x	Das wird ja immer schöner!
5		x	Hört, hört!
6	x		Das ist doch nicht möglich!
7		x	Das kann ja gar nicht möglich sein!
8	x		Nimm's doch nicht persönlich!

CD 1 – 83 a) hören und ankreuzen: freundlich ☺ bzw. unfreundlich ☹

b) hören und emotional nachsprechen

c) Situationen ausdenken und emotionale Aussprüche verwenden

Übung 9: Diktat

[øː], [œ], [oː], [ɔ]

An der „.................... Straße“, nicht weit von Weimar entfernt, liegt .... Der .... ist durch seine .... berühmt. Sie liegen auf einer .... am Ufer der Saale. Von dort hat man einen .... Blick ins Tal. Man sieht auf ...., Gärten und .... und auf den Fluss, der sich sanft durch die Wiesen zieht. .... weilte .... in den .... Meist wohnte er im ....

Romantischen
Dornburg Ort
Schlösser Höhe
schönen
Felder Dörfer

Goethe öfter Dornburger
Schlössern Rokokoschlösschen

CD 1 – 84 a) Text hören und Lücken ergänzen

b) hören und halblaut mitlesen

c) vorlesen

d) recherchieren: Was können Sie noch über die Dornburger Schlösser erfahren? (Kurzvortrag vorbereiten und halten)

Übung 10: Textarbeit (→ Übung 1)

Pausen, Akzente und Melodieverläufe

CD 1 – 77 a) Gedichte aus Übung 1 nochmals hören, dabei Pausen, Akzente und Melodieverläufe vor Pausen markieren

b) hören und halblaut mitlesen

c) vorlesen, Tonaufnahme machen und mit Muster vergleichen

d) Gedichte auswendig lernen und vortragen

10 Ü-Laute

Übung 1: Einführung

Frau Überling

Frau **Ü**berling hat **ü**ber Nacht
Lang **ü**berlegt und **ü**berdacht,
wie man das **Ü** h**ü**bsch **ü**ben kann.
Das **Ü** hört sich nicht **ü**bel an.

Ihr m**ü**sst nur **ü**ben. **Ü**berhaupt:
Wer **ü**berall an **Ü**bel glaubt,
dem wird das **Ü** nie gl**ü**cken,
in „pfl**ü**gen" nicht und „pfl**ü**cken".

Es wird mit Bl**ü**mchen **ü**berstreut,
wer R**ü**ge nicht noch M**üh**sal scheut.

(Waldemar Spender)

CD 1 – 85 hören und auf Markierungen achten

Es gibt zwei Ü-Laute:
lang gespannt – [yː]
kurz ungespannt – [ʏ]

[yː]	ü	**ü**ben
	üh	M**üh**e
	y	T**y**p
[ʏ]	ü	h**ü**bsch
	y	**Y**psilon

vorderer Zungenrücken hoch, Kieferöffnung wie bei den I-Lauten, Lippen deutlich gerundet, bei [yː] kleinere Kieferöffnung und stärkere Lippenrundung als bei [ʏ]

Achtung!
Keine Klangveränderung, z. B. in Richtung U- oder I-Laute!

Übung 2: Namen und Wörter unterscheiden

2.1

Kühne – Künne → Kühne

1	Dünel	Dünnel
2	Hüter	Hütter
3	Bühlow	Büllow
4	Rüßler	Rüssler
5	Rühle	Rülle
6	Mühler	Müller
7	Stübelitz	Stübbelitz
8	Bükeberg	Bückeberg

CD 1 – 86 a) gehörten Namen unterstreichen
b) Paare vorlesen
c) Reihen vorlesen
d) zu zweit üben: *A: Heißt der Künstler Künne? / B: Nein, Kühne ...*

[yː] – [ʏ]

Dünel
Hütter
Büllow
Rüßler
Rühle
Müller
Stübelitz
Bückeberg

2.2

Flüge – Fliege → Fliege

			[yː] – [iː]
1	Dünen	dienen	Dünen
2	für	vier	für
3	spülen	spielen	spielen
4	Tür	Tier	Tier
5	Bühne	Biene	Bühne
6	Süden	sieden	Süden
7	Züge	Ziege	Züge
8	kühl	Kiel	Kiel

CD 1 – 87 a) gehörtes Wort markieren
b) Paare vorlesen
c) Reihen vorlesen

2.3

Kür – Kur → Kur

			[uː] – [yː] / [ʊ] – [ʏ]
1	Tür	Tour	Tour
2	Mütter	Mutter	Mütter
3	führen	fuhren	fuhren
4	drücken	drucken	drücken
5	nützen	nutzen	nützen
6	Brüder	Bruder	Bruder
7	würden	wurden	wurden
8	wüssten	wussten	wüssten

CD 1 – 88 a) gehörtes Wort unterstreichen
b) Paare vorlesen
c) Reihen vorlesen

Übung 3: Geografie

3.1 Namen

Lübeck → [yː]

			[yː], [ʏ]
1	Thüringen	[ ]	[yː]
2	Würzburg	[ ]	[ʏ]
3	Nürnberg	[ ]	[ʏ]
4	Fürth	[ ]	[ʏ]
5	München	[ ]	[ʏ]
6	Düsseldorf	[ ]	[ʏ]
7	Münster	[ ]	[ʏ]
8	Zürich	[ ]	[yː]

CD 1 – 89 a) hören und Ü-Laute transkribieren
b) nachsprechen
c) Ortsnamen vorlesen
d) recherchieren: Welche Orte liegen im Süden Deutschlands?

3.2 Typisches

[yː], [ʏ]

1 Thüringer Bratwürste
2 Lübecker Marzipan
3 Nürnberger Lebkuchen
4 die Kirchen in Münster
5 das Großmünster in Zürich
6 das Rundfunkmuseum in Fürth
7 das Münchener Oktoberfest
8 die Fürstbischöfliche Residenz in Würzburg

a) Wortgruppen vorlesen
b) Wortgruppen in Sätzen verwenden: *Typisch für Thüringen sind die Thüringer Bratwürste. Typisch für ...*
c) recherchieren: Was ist noch typisch?

Übung 4: Häufungen

[yː], [ʏ]

	Übung	Lösung
1	das Frühstück	das Frühstück
2	die Hühnerbrühe	die Hühnerbrühe
3	die Gemüsebrühe	die Gemüsebrühe
4	die Südfrüchte	die Südfrüchte
5	die Mülltüte	die Mülltüte
6	die Gewürzmühle	die Gewürzmühle
7	die Glückwünsche	die Glückwünsche
8	das Glücksgefühl	das Glücksgefühl

a) lange Ü-Laute markieren
b) vorlesen – auf Wortakzent achten
c) Komposita in Wortgruppen oder Sätzen verwenden, z. B. *Zum Frühstück möchte ich Hühnerbrühe.*

Übung 5: Reimwörter

[yː], [ʏ]

Bücher und → Tücher

	Übung	Lösung
1	Bürste und ...	... Würste
2	Brücken und ...	... Rücken
3	drüben und ...	... üben
4	Flüsse und ...	... Küsse
5	fühlen und ...	... spülen
6	Füße und ...	... Grüße

7 Hüte und ... | ... Tüte
8 Hülle und ... | ... Fülle

a) Reimwörter ergänzen (rechts – eine mögliche Lösung)
b) Reime vorlesen
c) Wörter in Wortgruppen verwenden, z. B. *Bücher für das Studium, Tücher für ...*
d) andere Reime mit Ü-Lauten finden

Übung 6: Wünsche

[yː], [ʏ]

1 einen Kühlschrank
2 Bücher über Syrien
3 fünf Silbermünzen
4 einen Künstlerkalender
5 eine Müslischüssel
6 Sommerhüte für die Sommerhütte
7 ein Frühstück im Grünen
8 Glücksgefühle

CD 1 – 90 a) Wortgruppen hören und aufschreiben
b) nachsprechen
c) vorlesen
d) Wortgruppen in Sätzen verwenden, z. B. *Ich wünsche mir ...*
e) Was wünschen Sie sich außerdem noch?

Übung 7: Wortbildung

7.1 Pluralformen

[uː] → [yː] / [ʊ] → [ʏ]

der Hut → die Hüte

1	der Fluss	die Flüsse
2	der Grund	die Gründe
3	die Mutter	die Mütter
4	die Frucht	die Früchte
5	der Bruder	die Brüder
6	das Buch	die Bücher
7	der Gruß	die Grüße
8	der Zug	die Züge

a) Plural ergänzen
b) Paare vorlesen
c) Pluralformen mit Zahlwörtern *(fünf, fünfzehn, fünfzig, fünfundfünfzig, ...)* ergänzen und vorlesen, z. B. *fünf Hüte, ...*

7.2 Adjektive mit *-lich*

[uː] → [yː] / [ʊ] → [ʏ]

der Punkt → pünktlich

1	der Grund	gründlich
2	der Mund	mündlich
3	die Stunde	stündlich
4	die Mutter	mütterlich
5	der Bruder	brüderlich
6	der Nutzen	nützlich
7	die Kunst	künstlich
8	die Natur	natürlich

a) Adjektive mit *-lich* ergänzen
b) Paare vorlesen
c) Adjektive in Wortgruppen und Sätzen verwenden, z. B. *pünktlich in München ankommen*

7.3 Adjektivsteigerung

[yː], [ʏ]

hübsch → hübscher, am hübschesten

1	günstig	günstiger, am günstigsten
2	typisch	typischer, am typischsten
3	kühl	kühler, am kühlsten
4	kühn	kühner, am kühnsten
5	süß	süßer, am süßesten
6	dünn	dünner, am dünnsten
7	berühmt	berühmter, am berühmtesten
8	glücklich	glücklicher, am glücklichsten

a) Steigerungsformen ergänzen
b) alle drei Formen vorlesen
c) Formen in Sätzen verwenden, z. B. *Paula ist hübsch, Diana ist hübscher, Claudia ist am hübschesten*

Übung 8: Ausrufe

[yː], [ʏ]

	neutral	ärgerlich
Glück im Unglück! →	x	

	neutral	ärgerlich	
1		x	Lügen, Lügen, nichts als Lügen!
2	x		Das habe ich befürchtet.
3	x		So was Unvernünftiges!
4	x		Wieder mal typisch!
5		x	So ein Früchtchen!

6		x	Du machst mich wütend!
7		x	Du musst dir mehr Mühe geben!
8	x		Sei doch venünftig!

CD 1 – 91 a) Aussprüche hören und ankreuzen: neutral oder ärgerlich?
b) hören und emotional (neutral oder ärgerlich) nachsprechen
c) Situation ausdenken und emotionale Aussprüche verwenden

Übung 9: Diktat

[y:], [ʏ], [u:], [ʊ]

Der ....baron
Karl Friedrich Hieronymus Freiherr von ....
lebte von 1720 bis .... Er ist vor allem durch seine
...........geschichten bekannt, die er .... auf
Englisch schrieb. Gottfried August ....
sie ins Deutsche. Das Buch heißt: Wunderbare Reisen
zu Wasser und zu Lande. .... und lustige
Abenteuer des Freiherrn von ....

Lügen
Münchhausen
1797
Lügen übrigens
Bürger übersetzte

Feldzüge
Münchhausen

CD 1 – 92 a) Text hören und Lücken ergänzen
b) hören und halblaut mitlesen
c) vorlesen
d) recherchieren: Was können Sie noch über den Lügenbaron erfahren? (Kurzvortrag vorbereiten und halten)

Übung 10: Textarbeit (→ Übung 1)

Pausen, Akzente und Melodieverläufe

CD 1 – 85 a) Gedicht aus Übung 1 nochmals hören, dabei Pausen, Akzente und Melodieverläufe vor Pausen markieren
b) hören und halblaut mitlesen
c) vorlesen, Tonaufnahme machen und mit Muster vergleichen
d) Gedicht vortragen

11 Diphthonge

Übung 1: Einführung

Im Park

Ein ganz kleines Reh stand am ganz kl**ei**nen B**au**m,
still und verklärt wie im Tr**au**m.
Das war des Nachts elf Uhr zw**ei**.
Und dann kam ich um vier
morgens wieder vorb**ei**
und da tr**äu**mte noch immer das Tier.
Nun schlich ich mich l**ei**se – ich atmete k**au**m –
gegen den Wind an den B**au**m,
und gab dem Reh einen ganz kl**ei**nen Stips.
Und da war es **au**s Gips.

(Joachim Ringelnatz)

Es gibt drei Diphthonge: [ae̯ ao̯ ɔø̯]; zwei kurze Vokale werden innerhalb einer Silbe gleitend miteinander verbunden:

[ae̯]	ei	zw**ei**
	ai	M**ai**
	ey	M**ey**er
	ay	B**ay**ern
[ao̯]	au	B**au**m
[ɔø̯]	eu	h**eu**te
	äu	Tr**äu**me

CD 1 – 93 hören und auf Markierungen achten

Übung 2: Familiennamen unterscheiden

[ae̯] – [aː] – [eː] / [ao̯] – [aː] – [oː] / [ɔø̯] – [oː] – [øː]

Rahmer – Reimer – Rehmer → Reimer

1	Käufer	Kofer	Köfer	Käufer
2	Haufer	Hafer	Hofer	Hafer
3	Kramer	Kremer	Kreimer	Kremer
4	Dreiser	Draser	Dreser	Dreiser
5	Kreuger	Kroger	Kröger	Kröger
6	Brauner	Brahner	Brohner	Brauner
7	Haubner	Habner	Hobner	Hobner
8	Keitner	Katner	Ketner	Ketner

CD 1 – 94 a) gehörten Namen unterstreichen
b) nachsprechen
c) Namen zeilenweise sprechen
d) vorlesen
e) zu zweit üben, z. B. *A: Ist das Frau Rahmer?*
B: Nein, das ist Frau Reimer.

Übung 3: Alltag

3.1 Endlich Freizeit!

[ae̯]

1 um drei von der Arbeit kommen
2 die Sonne scheint
3 endlich Freizeit
4 keine Feier, kein Verein
5 gern ein bisschen allein sein
6 ein Eis essen
7 die Beine hochlegen
8 eine Zeitung lesen
9 ein Glas Wein trinken
10 zeitig einschlafen

CD 1 – 95 a) Wortgruppen hören und nachsprechen
b) vorlesen
c) Wortgruppen in Sätzen verwenden und erzählen, z. B. *An einem Freitag im Mai kommt Kai um drei von der Arbeit. .....*

3.2 Nichts Neues

[ae̯], [ɔø̯]

1 keine neuen Häuser
2 keine freundlichen Leute
3 keine neuen Abenteuer
4 keine treuen Freunde
5 keine erfreulichen Zeiten
6 kein überzeugendes Zeugnis
7 keine freudige Mitteilung
8 keine Enttäuschung

CD 1 – 96 a) Wortgruppen hören und mitschreiben
b) nachsprechen
c) vorlesen

3.3 Ausflug

[ao̯]

1 ein Ausflug ins Blaue
2 aufstehen und aus dem Haus gehen
3 Paul aus dem Nachbarhaus treffen
4 mit Paul und Paula einen Ausflug machen
5 gute Laune haben und laut singen
6 eine Pause unter einem Baum machen

7 sich ausruhen und die Aussicht genießen

8 ein Bauernhaus auf dem Berg fotografieren

CD 1 – 97 a) Wortgruppen hören und nachsprechen
b) vorlesen
c) Wortgruppen in Sätzen verwenden, Ausflug beschreiben

3.4 Noch ein Ausflug

[ae̯], [ao̯], [ɔø̯]

1 eine weite Reise mit dem Auto
2 auf der Autobahn im Stau stehen
3 aus dem Auto aussteigen
4 am Teich stehen bleiben
5 über eine Mauer steigen
6 den steilen Aufstieg nicht bereuen
7 sich über die Aussicht freuen
8 über die neuen Gebäude staunen

a) Wortgruppen vorlesen
b) Wortgruppen in Sätzen verwenden und erzählen, z. B. *Familie Reimer macht eine weite Reise mit dem Auto.*

Übung 5: Wortbildung

5.1 Substantive und Verben

[ae̯], [ao̯], [ɔø̯]

der Kauf → kaufen, gekauft

1	der Bau	bauen, gebaut
2	der Rauch	rauchen, geraucht
3	der Traum	träumen, geträumt
4	der Läufer	laufen, gelaufen
5	der Betreuer	betreuen, betreut
6	die Reise	reisen, gereist
7	die Feier	feiern, gefeiert
8	das Teilen	teilen, geteilt

a) Verb und Partizip bilden
b) alle drei Formen vorlesen
c) Infinitive in Wortgruppen verwenden, z. B. *ein Haus kaufen,*
d) Partizipien in Sätzen verwenden, z. B. *Ich habe mir ein Haus gekauft.*

5.2 Adjektivsteigerung

[ae̯], [ao̯], [ɔø̯]

klein → kleiner, am kleinsten

1	breit	breiter, am breitesten
2	frei	freier, am frei(e)sten
3	neu	neuer, am neu(e)sten
4	teuer	teurer, am teuersten
5	deutlich	deutlicher, am deutlichsten
6	freundlich	freundlicher, am freundlichsten
7	genau	genauer, am genau(e)sten
8	schlau	schlauer, am schlau(e)sten

a) Steigerungsformen ergänzen
b) alle drei Formen vorlesen
c) Adjektive in Sätzen verwenden, z. B. *Kai ist klein, Heike ist kleiner, Heiner ist am kleinsten.*

Übung 6: Seit wann?

[ae̯], [ao̯], [ɔø̯]

Sind Sie seit Donnerstag hier? → Nein, erst seit Freitag.

1	Sind Sie seit April hier?	Nein, erst seit Mai.
2	Sind Sie seit gestern hier?	Nein, erst seit heute.
3	Sind Sie seit zwölf hier?	Nein, erst seit eins.
4	Sind Sie seit zwei hier?	Nein, erst seit drei.
5	Sind Sie seit acht hier?	Nein, erst seit neun.
6	Sind Sie seit Juli hier?	Nein, erst seit August.
7	Sind Sie seit dem 28.9. hier?	Nein, erst seit dem 29.9.
8	Sind Sie seit eins hier?	Nein, erst seit zwei.

a) Antworten ergänzen (Angabe des folgenden Tages, Monats oder der folgenden Stunde)
b) Antworten vorlesen
c) zu zweit üben, z. B. *A: Sind Sie seit Donnerstag hier? / B: Nein, erst seit Freitag.*
d) weitere Sätze nach dem Muster bilden und zu zweit üben

Übung 7: Heike und Klaus

[ae̯], [ao̯], [ɔø̯]

	Heike	Klaus	
schreiben	deutlich	undeutlich	

→ Heike schreibt deutlich. Klaus schreibt undeutlich.

	Heike	Klaus	
1 vertrauen	ihre Freundin	sein Freund	Heike vertraut ihrer Freundin. Klaus vertraut seinem Freund.

2	freundlich sein zu	alle Leute	alle Leute	Heike und Klaus sind zu allen Leuten freundlich.
3	ausgehen mit	Freunde	Frau Meier	Heike geht mit Freunden aus. Klaus geht mit Frau Meier aus.
4	zu Hause bleiben	häufig	heute	Heike bleibt häufig zu Hause. Klaus bleibt heute zu Hause.
5	Auto	kaum fahren	keins haben	Heike fährt kaum Auto. Klaus hat kein Auto.
6	träumen von	neues Auto	neues Haus	Heike träumt von einem neuen Auto. Klaus träumt von einem neuen Haus.
7	Reisen machen nach	Frankreich	Schweiz	Heike macht gern Reisen nach Frankreich. Klaus macht gern Reisen in die Schweiz.
8	sich freuen über	das gute Zeugnis	der neue Job	Heike freut sich über das gute Zeugnis. Klaus freut sich über den neuen Job.

a) mithilfe der vorgegebenen Wörter Aussagen über Heike und Klaus bilden (siehe Muster)
CD 1 – 98 b) ein Beispiel hören
c) über Heike und Klaus sprechen
d) noch mehr über beide erzählen

Übung 8: Verwechselte Namen — [ae̯], [ao̯], [ɔø̯]

Heißen Sie Reiter? (Reuter)
→ Nein, nicht Reiter, sondern Reuter.

1	Heißen Sie Raumer? (Reimer)	Nein, nicht Raumer, sondern Reimer.
2	Heißt Ihr Freund Kreis? (Kraus)	Nein, nicht Kreis, sondern Kraus.
3	Heißt Ihr Nachbar Rausch? (Reusch)	Nein, nicht Rausch, sondern Reusch.
4	Heißt Ihre Lehrerin Braun? (Breun)	Nein, nicht Braun, sondern Breun.
5	Heißt der Direktor Teucher? (Teicher)	Nein, nicht Teucher, sondern Teicher.
6	Heißt die Schauspielerin Bräuer? (Brauer)	Nein, nicht Bräuer, sondern Brauer.
7	Heißt der Trainer Graupner? (Gräupner)	Nein, nicht Graupner, sondern Gräupner.
8	Heißt die Firma Meuler? (Meiler)	Nein, nicht Meuler, sondern Meiler.

a) Fragen lesen, Antworten ergänzen
b) Antworten empört/nachdrücklich sprechen
c) zu zweit üben, z. B. *A: Heißen Sie Reiter? / B: Nein, nicht Reiter, sondern Reuter.*

Übung 9: Diktat

[ae̯], [ao̯], [ɔø̯]

In Dessau befindet sich das berühmte ....
Es wurde 1926 von Gropius .... Das Bauhaus gilt als .... der .... Architektur. In dem .... befand sich bis 1932 eine .... Kunstschule, die den Namen „Staatliches Bauhaus" trug. Gropius hatte sie 1919 in .... gegründet. .... Vertreter des „Bauhauses" waren neben Gropius auch .... , Klee, Kandinsky und ....

Bauhaus
erbaut
Meisterwerk neuen europäischen
Gebäude
deutsche
Weimar
Bedeutende
Feininger
Meyer

CD 1 – 99 a) Text hören und Lücken ergänzen
b) hören und halblaut mitlesen
c) vorlesen
d) recherchieren: Was können Sie noch über das Bauhaus erfahren? (Kurzvortrag vorbereiten und halten)

Übung 10: Textarbeit (→ Übung 1)

Pausen, Akzente und Melodieverläufe

CD 1 – 93 a) Gedicht der Übung 1 mehrmals hören, dabei Pausen, Akzente und Melodieverläufe vor Pausen markieren
b) hören und halblaut mitlesen
c) vorlesen, Tonaufnahme machen und mit Muster vergleichen
d) Gedicht auswendig vortragen

12 Schwa-Laut und Endung *-en*

Übung 1: Einführung

Ein G**e**dicht

Häuser hab**en** Dächer,
Schränk**e** hab**en** Fächer.
Strümpf**e** hab**en** Masch**en**,
Hos**en** hab**en** Tasch**en**.
Bäum**e** hab**en** Äst**e**,
Wirt**e** hab**en** Gäst**e**.
Pflanz**en** hab**en** Keim**e**,
Kinder such**en** Reim**e**.

(überliefert)

CD 2 – 1 hören und auf Markierungen achten

Schwa-Laut (Murmelvokal) = schwachtoniges E der akzentlosen Vor- und Nachsilben, wird ungespannt und mit leicht gehobener Mittelzunge gebildet.

[ə] e Gedicht

Der Schwa-Laut wird häufig reduziert oder weggelassen, insbesondere in der Endung *-en*:
[ə] fällt in *-en* nach Plosiven aus (z. B. in *bitten*), [n] wird nach [p b] zu [m] (z. B. in *leben*), nach [k g] zu [ŋ] (z. B. in *liegen*).
[ə] fällt in *-en* nach Frikativen aus (z. B. in *lesen*)
[ə] bleibt in *-en* nach Nasalen (z. B. in *nehmen*), nach [r] (z. B. in *hören*) und nach Vokalen und Diphthongen (z. B. in *gehen, freuen*) erhalten.

Übung 2: Wörter unterscheiden

2.1

Affe – Kaffee → Affe

1	alle	Allee
2	(sie) tanzte	Tanztee
3	Walze	Waldsee
4	(ich) turne	Tournee
5	Arme	Armee
6	Karre	Karree
7	Wege	WG
8	geheim	Geh heim!

CD 2 – 2 a) gehörtes Wort unterstreichen
b) nachsprechen
c) Paare vorlesen
d) Reihen vorlesen
e) beide Wörter in einer Wortgruppe verwenden (vorher unbekannte Wörter klären) , z. B. *Ein Affe trinkt nie Kaffee. Eine Walze schwimmt im Waldsee.*

[ə] – [eː]

alle
tanzte
Waldsee
turne
Arme
Karree
Wege
geheim

2.2

eine – einer → eine

1	keine	keiner
2	schöne	schöner
3	ehe	eher
4	liebe	lieber
5	fahre	Fahrer
6	Deutsche	Deutscher
7	bitte	bitter
8	einfache	einfacher
9	schwere	schwerer
10	Lehre	Lehrer

CD 2 – 3 a) gehörtes Wort unterstreichen
b) nachsprechen
c) Paare vorlesen
d) Reihen vorlesen
e) Wörter in Wortgruppen verwenden, z. B. *keine Zeit, keiner hört zu ...*

[ə] – [ɐ]

keiner
schöne
ehe
lieber
Fahrer
Deutsche
bitte
einfacher
schwere
Lehrer

Übung 3: Wörter und Namen unterscheiden

3.1

neu – neue → neu

1	Fest	Feste
2	Tisch	Tische
3	Dank	danke
4	treu	Treue
5	mein	meine
6	viel	viele
7	Ring	Ringe
8	genau	genaue
9	Bericht	Berichte
10	Arbeit	Arbeite!

CD 2 – 4 a) gehörtes Wort unterstreichen
b) nachsprechen
c) Paare vorlesen
d) Reihen vorlesen
e) Wörter in Wortgruppen verwenden, z. B. *neue Schuhe, die Schuhe sind neu*

[ə] im Wortauslaut

Feste
Tisch
Dank
Treue
meine
viel
Ring
genaue
Berichte
Arbeit

3.2

[ə] im Wortausslaut

Heißen Sie Schulz? → Nein, Schulze. /
Heißen Sie Schulze? → Nein, Schulz.

1 Heißen Sie Weiß? — Nein, Weiße.
2 Heißen Sie Harth? — Nein, Harthe.
3 Heißen Sie Scholz? — Nein, Scholze.
4 Heißen Sie Reiche? — Nein, Reich.
5 Heißen Sie Lange? — Nein, Lang.
6 Heißen Sie Mische? — Nein, Misch.
7 Heißen Sie Rausch? — Nein, Rausche.
8 Heißen Sie Kuntze? — Nein, Kuntz.
9 Heißen Sie Fritsch? — Nein, Fritsche.
10 Heißen Sie Pfeil? — Nein, Pfeile.

a) Fragen lesen und Namen korrigieren
b) zu zweit üben, z. B. *A: Heißen Sie Schulz? / B: Nein, Schulze.*

Übung 4: Endung *-en*

[ə] in den Endungen *-e* und *-en*.

4.1

[ə] nach Nasalen, [r] und Diphthongen

1 ich komme, wir kommen
2 ich nehme, wir nehmen
3 ich lerne, wir lernen
4 ich kenne, wir kennen
5 ich singe, wir singen
6 ich höre, wir hören
7 ich fahre, wir fahren
8 ich gehe, wir gehen
9 ich baue, wir bauen
10 ich freue mich, wir freuen uns

CD 2 – 5 a) Verbformen hören und nachsprechen
b) vorlesen, Schwa bleibt erhalten
c) zu zweit üben, z.B: *A: Wann kommen Sie! / B: Ich komme heute noch.* oder *Wir kommen heute noch.*

4.2

[ə] nach Frikativen

lauf(e)n → Sie müss(e)n lauf(e)n!

1 helfen — Sie müssen helfen!
2 anrufen — Sie müssen anrufen!
3 lesen — Sie müssen lesen!
4 aufpassen — Sie müssen aufpassen!

5 übersetzen
6 sich waschen
7 klatschen
8 sprechen
9 suchen
10 mitmachen

Sie müssen übersetzen!
Sie müssen sich waschen!
Sie müssen klatschen!
Sie müssen sprechen!
Sie müssen suchen!
Sie müssen mitmachen!

a) Aufforderungen mit *müssen* bilden
CD 2 – 6 b) Lösung hören, nachsprechen, auf Schwa-Ausfall achten
c) vorlesen
d) zu zweit üben, z. B. *A: Sie müssen laufen! / B: Ich laufe doch schon.*

4.3

[ə] nach Plosiven

Ich schreibe. → Wir schreib(e)n auch.

1 Ich rede.
2 Ich warte.
3 Ich übe.
4 Ich bleibe hier.
5 Ich habe Husten.
6 Ich steige aus.
7 Ich winke.
8 Ich frühstücke.
9 Ich entschuldige mich.
10 Ich bedanke mich.

Wir reden auch.
Wir warten auch.
Wir üben auch.
Wir bleiben auch hier.
Wir haben auch Husten.
Wir steigen auch aus.
Wir winken auch.
Wir frühstücken auch.
Wir entschuldigen uns auch.
Wir bedanken uns auch.

a) Sätze in der 1. Person Plural bilden
CD 2 – 7 b) Satzpaare hören und nachsprechen, auf Schwa-Ausfall in der Pluralform achten
c) zu zweit üben, z. B. *A: Ich schreibe. / B: Wir schreiben auch.* oder *Wir schreiben nicht.*

4.4

Endung *-en* nach verschiedenen Lauten

wir arbeiten → arbeiten

1 wir zeichnen
2 wir hören
3 wir lernen
4 wir schreiben
5 wir berichten
6 wir lesen
7 wir singen
8 wir antworten
9 wir warten
10 wir bereiten uns vor

zeichnen
hören
lernen
schreib~~e~~n
bericht~~e~~n
les~~e~~n
singen
antwort~~e~~n
wart~~e~~n
vorbereit~~e~~n

CD 2 – 8 a) hören und bei [ə]-Ausfall *e* in der Endung *-en* durchstreichen
b) hören und nachsprechen
c) Fragen bilden, z. B. *Arbeitest du?*, darauf achten dass [ə] nicht ausfällt
d) zu zweit üben, z. B. *A: Arbeitest du?/B: Ja, ich arbeite.* oder *Nein, ich arbeite nicht. Ich warte auf....*

Übung 5: Reime

[ə] in den Endungen *-e* und *-en*

1	Kein Mund ohne Zähne, kein Pferd ohne ...	Mähne
2	Kein Hund ohne Bellen, kein Meer ohne ...	Wellen
3	Keine Stute ohne Füllen, kein Löwe ohne ...	Brüllen
4	Kein Koch ohne Schürze, keine Speise ohne ...	Würze
5	Kein Himmel ohne Sterne, kein Apfel ohne ...	Kerne
6	Kein Garten ohne Beete, kein Hans ohne ...	Grete

a) Reime ergänzen (rechts – ein mögliches Reimwort)
b) Reime vorlesen

Übung 6: [ə] im Präfix

6.1 Substantive

[ə] im Präfix *Ge-*, *ge-*

brauchen → der Gebrauch

1	fühlen	das Gefühl
2	denken	der Gedanke
3	dichten	das Gedicht
4	reden	das Gerede
5	sprechen	das Gespräch
6	singen	der Gesang
7	schmecken	der Geschmack
8	schenken	das Geschenk
9	lieben	die Geliebte
10	wünschen	das Gewünschte

a) Substantive mit *Ge-* bilden
b) Paare vorlesen
c) Wörter in Wortgruppen oder Sätzen verwenden, z. B. *vor Gebrauch schütteln, ...*

6.2 Partizipien

gehen → gegangen

1 laufen	gelaufen
2 fahren	gefahren
3 springen	gesprungen
4 fliegen	geflogen
5 schwimmen	geschwommen
6 ankommen	angekommen
7 abfahren	abgefahren
8 umsteigen	umgestiegen
9 abbiegen	abgebogen
10 spazieren gehen	spazieren gegangen

a) Partizipien ergänzen
b) bei [ə]-Ausfall *e* in der Endung *-en* durchstreichen
c) Paare vorlesen
d) Wörter in Wortgruppen oder Sätzen verwenden, z. B. *Wann gehen wir? Ist Alena schon gegangen?*

laufen / gelaufen, fliegen / geflogen, umsteigen / umgestiegen, abbiegen / abgebogen (e in -en durchgestrichen)

6.3 Verschiedene Präfixe

[ə] im Präfix und in anderen Positionen

Vokabeln lernen → A: Ich werde jetzt Vokabeln lernen.
B: Ich habe sie bereits gelernt.

1 das Gedicht lernen
2 den Brief beantworten
3 die Konzertkarten bestellen
4 den Koffer packen
5 die Fahrkarten kaufen
6 die Rechnung bezahlen

a) Äußerungen für A und B formulieren
b) zu zweit üben – was A tun will, hat B schon erledigt

Übung 7: Auskunft geben

[ə]-Ausfall in *-en*

Wann findet der Phonetikkurs statt? 6.–20.3.
→ Vom sechsten bis zwanzigsten Dritten.

1 Wie lange dauert die Tagung?	11.–13.5.	Vom elften bis dreizehnten Fünften.
2 Wie lange brauchen Sie das Zimmer?	3.–5.10.	Vom dritten bis fünften Zehnten.
3 Wie lange war der Gast bei euch?	9.–14.4.	Vom neunten bis vierzehnten Vierten.

4	Wann wollen Sie Urlaub machen?	1.–20.6.	Vom ersten bis zwanzigsten Sechsten.
5	Wie lange waren Sie krank?	8.–15.11.	Vom achten bis fünfzehnten Elften.
6	Wann haben die Kinder Ferien?	5.–12.2.	Vom fünften bis zwölften Zweiten.
7	Wie lange dauert das Semester?	9.4.–30.6.	Vom neunten Vierten bis dreißigsten Sechsten.
8	Wie lange dauern die Prüfungen?	10.2.–20.2.	Vom zehnten Zweiten bis zwanzigsten Zweiten.

a) Fragen lesen, Antworten vorlesen
b) zu zweit üben, z. B. *A: Wann findet der Phonetikkurs statt? / B: Vom sechsten bis zwanzigsten Dritten.*
c) nach weiteren Terminen fragen und antworten.

Übung 8: Aufforderungen und Anordnungen

[ə] in verschiedenen Endungen

1	Einen Augenblick bitte!
2	Bleiben Sie stehen!
3	Sie müssen warten!
4	Hier dürfen Sie nicht rauchen!
5	Sprechen Sie leise!
6	Berichten Sie bitte genau!
7	Beantworten Sie meine Fragen!
8	Bitte einsteigen und die Türen schließen!

CD 2 – 9 a) Aufforderungen hören und nachdrücklich nachsprechen
b) weitere Aufforderungen sprechen, z. B. *Bitte nehmen Sie das Heft!*

Übung 9: Hörtext

[ə] in verschiedenen Endungen

Zu den schönsten deutschen romantischen Gedichten gehören die Naturgedichte von Joseph von Eichendorff. Sie entstanden in der ersten Hälfte des neunzehnten Jahrhunderts. Viele von ihnen sind vertont worden. Sie wurden wie echte Volkslieder bekannt und werden von vielen Menschen gern gesungen. Zu den beliebtesten Liedern zählen „In einem kühlen Grunde“ und „O Täler weit, o Höhen“.

Zu den schönstɇn deutschɇn romantischɇn Gedichtɇn gehören die Naturgedichte von Joseph von Eichɇndorff. Sie entstandɇn in der erstɇn Hälfte des neunzehntɇn Jahrhunderts. Viele von ihnen sind vertont wordɇn. Sie wurdɇn wie echte Volkslieder bekannt und werdɇn von vielen Menschɇn gern gesungen. Zu den beliebtestɇn Liedern zählen „In einem kühlen Grunde“ und „O Täler weit, o Höhen“.

CD 2 – 10 a) Text hören und bei [ə]-Ausfall *e* in der Endung *-en* durchstreichen
b) hören und halblaut mitlesen
c) vorlesen
d) recherchieren: Was können Sie noch über Joseph von Eichendorff erfahren? (Kurzvortrag vorbereiten und halten)

Übung 10: Textarbeit (→ Übung 1)

Pausen, Akzente und Melodieverläufe

CD 2 – 1 a) Gedicht der Übung 1 mehrmals hören, dabei Pausen, Akzente und Melodieverläufe vor Pausen markieren
b) hören und halblaut mitlesen
c) vorlesen, Tonaufnahme machen und mit Muster vergleichen
d) Gedicht auswendig lernen und vortragen

13 Plosive

Übung 1: Einführung

Der Herr von Doppelmoppel
Hat alle Dinge doppel.
Er hat ein Doppelkinn
Mit Doppelgrübchen drin.
Er führt ein Doppelleben,
Das zweite stets daneben.
Er hat ein Doppelweib
Zum Doppelzeitvertreib.
Der Herr von Doppelmoppel
Hat eben alles doppel.

(Kurt Schwitters)

Die Neigung der Menschen, kleine Dinge für wichtig zu halten, hat sehr viel Großes hervorgebracht.

Es ist ein Glück, dass die Gedankenleerheit keine solche Folge hat wie die Luftleerheit, sonst würden manche Köpfe, die sich an die Lesung von Werken wagen, die sie nicht verstehen, zusammengedrückt werden.

(Georg Christoph Lichtenberg)

Wir mögen's keinem gerne gönnen,
dass er was kann, was wir nicht können.

(Wilhelm Busch)

CD 2 – 11 hören und auf Plosive achten

Es gibt drei Paare von Plosiven: [p b], [t d] und [k g], sie entstehen durch eine Verschlussbildung und -lösung, der Nasenraum ist durch das gehobene Gaumensegel verschlossen.
Auslautverhärtung: [b] wird im Wort- und Silbenauslaut zu [p], [d] zu [t], [g] zu [k].

Bei der Bildung von [p] und [b] liegen die Lippen aufeinander, bei [p] ist der Verschluss fest, das Explosionsgeräusch ist deutlich (fortis), bei [b] sind der Verschluss und das Geräusch schwächer (lenis).

	p	**O**p**er
[p]	pp	do**pp**elt
	-b	gel**b**
[b]	b	O**b**er

Bei der Bildung von [t] und [d] liegt die Zunge an den oberen Schneidezähnen, bei [t] ist der Verschluss fest, das Explosionsgeräusch ist deutlich (fortis), bei [d] sind Verschluss und Geräusch schwächer (lenis).

	t	**T**ier
	tt	bi**tt**e
[t]	-d	un**d**
	th	**Th**eorie
	dt	Sta**dt**
[d]	d	**D**inge

Bei [k] und [g] bildet die Hinterzunge einen Verschluss mit dem hinteren Gaumen. Bei [k] ist der Verschluss fest, das Explosionsgeräusch ist deutlich (fortis), bei [g] sind der Verschluss und das Geräusch schwächer (lenis).

	k	**k**önnen
[k]	ck	Glü**ck**
	-g	We**g**
[g]	g	**g**ern

An der gleichen Stelle gebildete Plosive an Wort- und Silbengrenzen werden nur einmal realisiert, z. B. *ab Prag*.

Übung 2: Wörter unterscheiden

2.1 — [p] – [b]

Platt – Blatt → <u>Blatt</u>

1	Paar	Bar	Bar
2	Pass	Bass	Pass
3	packen	backen	backen
4	Prise	Brise	Brise
5	Oper	Ober	Oper
6	Gepäck	Gebäck	Gebäck
7	Raupen	rauben	Raupen
8	Alpen	Alben	Alben

CD 2 – 12 a) gehörtes Wort unterstreichen
b) nachsprechen
c) Paare mit Artikel vorlesen
d) Reihen mit Artikel vorlesen
e) beide Wörter in einer Wortgruppe verwenden, z. B. *ein Paar in einer Bar*

2.2 — [t] – [d]

Ente – Ende → <u>Ente</u>

1	Teer	der	der
2	Tier	dir	Tier
3	Tick	dick	Tick
4	tanken	danken	tanken
5	Leiter	leider	leider
6	Seite	Seide	Seide
7	Mantel	Mandel	Mantel
8	werten	werden	werten

CD 2 – 13 a) gehörtes Wort unterstreichen
b) nachsprechen
c) Paare vorlesen
d) Reihen vorlesen
e) Wörter in Wortgruppen verwenden, z. B. *Enten füttern*

2.3 — [k] – [g]

können – gönnen → <u>können</u>

1	Karten	Garten	Karten
2	Küsse	Güsse	Güsse
3	Kunst	Gunst	Kunst
4	Kreis	Greis	Kreis

5	Kränze	Grenze	Grenze
6	Orkan	Organ	Organ
7	Erker	Ärger	Ärger
8	bekehren	begehren	bekehren

CD 2 – 14 a) gehörtes Wort unterstreichen
b) nachsprechen
c) Reihen vorlesen
d) Paare vorlesen
e) Wörter in Entscheidungsfragen verwenden, z. B. *Können Sie mitkommen?*

Übung 3: Papiere, Tiere und mehr

3.1 Papier, Papier, Papier ...

[p]

1	Papier, Papier, Papier!
2	Probleme mit Papier.
3	Kein Platz ohne Papier.
4	Papier auf dem Parkplatz.
5	Papier im Park.
6	Papier in den Papierkorb!
7	Ihre Papiere bitte!
8	Papier ist geduldig.

CD 2 – 15 a) Äußerungen hören und nachsprechen
b) vorlesen
c) frei sprechen: *Wofür brauchen Sie welche(s) Papier(e)?*

3.2 Tiere

[t]

1	eine bunte Ente
2	ein mutiger Tiger
3	eine Ratte im Garten
4	eine Kröte im Teich
5	das Wild im Wald
6	eine Nachtigall singt
7	ein Schmetterling flattert
8	ein Hund bellt laut

CD 2 – 16 a) Wortgruppen hören und mitschreiben
b) nachsprechen
c) vorlesen
d) zusammengesetzte Substantive mit *Tier* bilden, z. B. *Tierpark, Stofftier, ...*

3.3 Kultur und Kunst

[k]

1	Kultur und Kunst
2	Kunst im Kulturhaus
3	Chorkonzerte im Musiktheater
4	ein Orchester aus Kamerun
5	ein kulturinteressiertes Publikum
6	Stück für Stück ein Kunstwerk
7	Kunst kommt von Können.
8	Kultur ist keine Kunst.

CD 2 – 17 a) Wortgruppen hören und nachsprechen
b) vorlesen
c) frei sprechen: *Interessieren Sie sich für Kultur und Kunst? Für welche?*

3.4 Städtereise

[p], [b], [t], [d], [k], [g]

1 am Montag in Baden-Baden
2 am Dienstag in Düsseldorf
3 am Mittwoch in Friedrichroda
4 am Donnerstag in Stuttgart
5 am Freitag in Dresden
6 am Sonnabend in Gießen
7 am Sonntag in Potsdam
8 Tag für Tag eine andere Stadt

a) Wortgruppen vorlesen
b) eine andere Wochenreise in Orte mit [p b t d k g] planen, z. B. nur in Orte mit [b] oder mit [k] oder mit ...

Übung 4: Auslautverhärtung

4.1 Verben

[b], [d] und [g] im Wort- und Silbenauslaut

loben → lobte, gelobt

		[b], [d] und [g] im Wort- und Silbenauslaut
1	leben	lebte, gelebt
2	lieben	liebte, geliebt
3	bleiben	blieb, geblieben
4	finden	fand, gefunden
5	verstehen	verstand, verstanden
6	betrügen	betrog, betrogen
7	fragen	fragte, gefragt
8	überlegen	überlegte, überlegt
9	einladen	lud ein, eingeladen
10	abschreiben	schrieb ab, abgeschrieben

a) Verbformen ergänzen
b) Buchstaben *b, d, g* bei Auslautverhärtung unterstreichen
c) alle drei Formen vorlesen (Auslautverhärtung: [p t k])
d) Wörter in Sätzen verwenden, z. B. *Mein Lehrer hat meine Aussprache gelobt.*

4.2 Substantive

die Tage → der Tag

1	die Betriebe	der Betrieb
2	die Verben	das Verb
3	die Körbe	der Korb
4	die Länder	das Land
5	die Münder	der Mund
6	die Kinder	das Kind
7	die Gründe	der Grund
8	die Wände	die Wand
9	die Wege	der Weg
10	die Berge	der Berg

a) Singularformen mit Artikel ergänzen
b) Paare vorlesen, auf Auslautverhärtung achten

4.3 Adjektive

ein gelbes Hemd → Das Hemd ist gelb.

1	ein rundes Rad	Das Rad ist rund.
2	ein gesundes Kind	Das Kind ist gesund.
3	ein fremdes Land	Das Land ist fremd.
4	ein kluger Freund	Der Freund ist klug.
5	ein spannender Job	Der Job ist spannend.
6	ein anstrengender Abend	Der Abend ist anstrengend.

a) Sätze bilden
b) Wortgruppen und Sätze vorlesen
c) zu zweit üben: Was ist noch *gelb, rund, gesund, ...?*

Übung 5: Verbindungen

gleiche Plosive an Wort- und Silbengrenzen

ab Paris

1	ab	Prag, Paris, Peking, Berlin, Brasilia, Bukarest
2	mit	Thomas, Tanja, Tim, Dieter, Dani, Dorothee

3 und	tanzen, trinken, telefonieren, du, dann, der
4 seit	damals, Dezember, Dienstag, dem Winter
5 genug	geübt, gefragt, geschrieben, gelesen, gewartet
6 weg	kommen, gekommen, gefahren, gelaufen

CD 2 – 18 a) Wortgruppen hören und nachsprechen
b) Wortgruppen vorlesen
c) Wortgruppen in Sätzen verwenden, z. B. *Ab Paris nehmen wir einen Bus.*

Übung 6: Groß und klein — [p], [b], [t], [d], [k], [g]

Kind / Vater → Der Vater ist groß, das Kind ist klein.

1 Kurtchen / Kurt	Kurt ist groß, Kurtchen ist klein.
2 Tasche / Täschchen	Die Tasche ist groß, das Täschchen ist klein.
3 Berg / Hügel	Der Berg ist groß, der Hügel ist klein.
4 Garten / Park	Der Park ist groß, der Garten ist klein.
5 Erde / Mond	Die Erde ist groß, der Mond ist klein.
6 Baum / Blume	Der Baum ist groß, die Blume ist klein.
7 Beet / Feld	Das Feld ist groß, das Beet ist klein.
8 Kassel / Kleinkleckersdorf	Kassel ist groß, Kleinkleckersdorf ist klein.

a) Sätze mit *groß* und *klein* bilden
b) vorlesen
c) zu zweit üben: Was ist noch groß und klein?

Übung 7: Kofferpacken — [p], [b], [t], [d], [k], [g]

Wir packen in den Koffer ... einen Ball.

1 ... einen Ball und ein Buch
2 ... und einen Bleistift
3 ... und eine Blume
4 ... und einen Brief
5 ... und ein Blatt
6 ... und eine Brille
...

a) immer längere Sätze sprechen
b) in der Gruppe reihum üben, immer ein Wort dazunehmen
c) geeignete Wörter mit [p], [b], [t], [d], [k], [g] sammeln und weiterüben

Übung 8: Abendprogramm

[p], [b], [t], [d], [k], [g]

1 Wer spielt heute Abend im Gewandhaus? — Das stand doch in der Zeitung.
2 Und wann beginnt die Vorstellung? — Wie jeden Abend um acht.
3 Ob wir noch Karten kriegen? — Keine Ahnung, probier's einfach.
4 Und du? — Ich hab zu tun.
5 Du kommst nicht mit? — Keine Zeit, keine Lust.
6 Dann bleibst du eben zu Hause. — Genau, ich bleib hier.

CD 2 – 19 a) Fragen mitlesen, Antworten gelangweilt nachsprechen
b) zu zweit üben
c) zu zweit üben: andere Fragen und Antworten

Übung 9: Diktat

[p], [b], [t], [d], [k], [g]

.... Lichtenberg war ein .... des 18. Jahrhunderts, ein .... von .... Er war Mathematiker und Physiker in .... wurde er jedoch als .... und .... Lichtenbergs ironische .... über .... und Kunst sind kleine Meisterwerke, die noch in der .... gern .... werden. Er schrieb zum Beispiel: „Um eine .... Sprache recht gut sprechen zu lernen und wirklich in Gesellschaft zu sprechen mit dem .... des Volkes, muss man nicht nur .... und Ohr haben, sondern in gewissem .... ein .... sein."

Georg Christoph vielseitiger
Gelehrter Zeitgenosse
Goethe
Göttingen Bekannter
Satiriker Kunstkritiker
Gedanken Zeitgeschichte

Gegenwart gelesen
fremde

eigentlichen Akzent
Gedächtnis
Grad kleiner Geck

CD 2 – 20 a) Text hören und Lücken ergänzen
b) hören und halblaut mitlesen
c) vorlesen
d) recherchieren: Was können Sie noch über Lichtenberg erfahren? (Kurzvortrag vorbereiten und halten)

Übung 10: Textarbeit (→ Übung 1)

Pausen, Akzente und Melodieverläufe

CD 2 – 11 a) Texte der Übung 1 mehrmals hören, dabei Pausen, Akzente und Melodieverläufe vor Pausen markieren
b) hören und halblaut mitlesen
c) vorlesen, Tonaufnahme machen und mit Muster vergleichen
d) einen Text auswendig lernen und vortragen

14 Frikative [f] und [v]

Übung 1: Einführung

Mondnacht

Es **w**ar, als hätt der Himmel
Die Erde still geküsst,
Dass sie im Blütenschimmer
Von ihm nun träumen müsst.

Die Lu**f**t ging durch die **F**elder,
Die Ähren **w**ogten sacht,
Es rauschten leis die **W**älder,
So sternklar **w**ar die Nacht.

Und meine Seele spannte
Weit ihre **F**lügel aus,
Flog durch die stillen Lande,
Als **f**löge sie nach Haus.

(Joseph von Eichendorff)

CD 2 – 21 hören und auf Markierungen achten

Bei den Frikativen [f] und [v] bildet die Unterlippe eine Enge mit den oberen Schneidezähnen, der Nasenraum ist durch das gehobene Gaumensegel verschlossen. Bei [f] ist die Spannung höher und das Reibegeräusch deutlicher (fortis) als bei [v] (lenis).

	f	**F**eld
[f]	ff	ho**ff**en
	v	**V**ater
	w	**W**ald
[v]	v	**V**isum
	(q)u	beq**u**em

Auslautverhärtung: [v] wird im Wort- und Silbenauslaut zu [f], z. B. *aktive – aktiv.*

An der gleichen Stelle gebildete Plosive an Wort- und Silbengrenzen werden nur einmal realisiert, z. B. *auf Fotos.*

Übung 2: Wörter unterscheiden

2.1

vier – wir → wir

1	fort	Wort
2	Feld	Welt
3	fühlen	wühlen
4	Fink	Wink
5	finden	winden
6	Phase	Vase
7	Feder	weder
8	gefischt	gewischt
9	fein	Wein
10	volle	Wolle

CD 2 – 22 a) gehörtes Wort unterstreichen
b) nachsprechen
c) Paare vorlesen
d) Reihen vorlesen
e) beide Wörter in einer Wortgruppe verwenden, z. B. *wir sind vier*

[f] – [v]

fort
Feld
wühlen
Fink
winden
Vase
weder
gefischt
Wein
volle

2.2 | [v] – [b]

Wahn – Bahn → <u>Bahn</u>

1	Wand	Band	Wand
2	wir	Bier	Bier
3	wetten	Betten	Betten
4	Werk	Berg	Werk
5	Wald	bald	bald
6	Einwand	Einband	Einband
7	Gewalt	geballt	Gewalt
8	wirken	Birken	Wirken
9	Wellen	bellen	Wellen
10	wohnen	Bohnen	Bohnen

CD 2 – 23 a) gehörtes Wort unterstreichen
b) nachsprechen
c) Paare vorlesen
d) Reihen vorlesen
e) zu zweit üben: *A: Sagten Sie Wahn? B: Nein, Bahn.*
f) vorlesen:
Ich lauf jetzt in den Birkenwald,
denn meine Pillen wirken bald.

Übung 3: Die Welt der Musik

[f], [v]

Kla...ier → Klavier

1	Re...iem	Requiem
2	...iener ...alzer	Wiener Walzer
3	Das ...orellen...intett	Das Forellenquintett
4	...idelio	Fidelio
5	Or...eus in der Unter...elt	Orpheus in der Unterwelt
6	Jacques O...enbach	Jacques Offenbach
7	Carl Maria ...on ...eber	Carl Maria von Weber
8	Lud...ig ...an Beetho...en	Ludwig van Beethoven

CD 2 – 24 a) hören und Lücken ergänzen
b) nachsprechen
c) vorlesen
d) Beispiele im Satz verwenden, z. B. *Ich habe kein Klavier.*

Übung 4: Auslautverhärtung

[v] – [f]

die Aktivität → aktiv

1	die Passivität	passiv
2	die Naivität	naiv

3 die Aggressivität	aggressiv
4 die Effektivität	effektiv
5 die Produktivität	produktiv
6 die Relativität	relativ
7 die Subjektivität	subjektiv
8 die Primitivität	primitiv

a) Adjektive ergänzen
b) Paare vorlesen, auf Auslautverhärtung und Akzentveränderung achten
c) Wörter erklären, z. B. *Aktiv ist jemand, der ....*

Übung 5: Verben mit *auf-*

[f] und [v] an Wort- und Silbengrenzen

1 auffangen
2 aufführen
3 auffordern
4 auffädeln
5 aufwischen
6 aufwachen
7 aufweisen
8 aufwachsen

CD 2 – 25 a) Wörter hören und nachsprechen
b) vorlesen
c) Wörter in Wortgruppen verwenden, z. B. *einen Ball auffangen*

Übung 6: Viel zu ...

[f], [v]

viel zu viel – essen ... → viel zu viel gegessen.

1 viel zu wenig – schlafen	geschlafen
2 viel zu lange – warten	gewartet
3 viel zu spät – aufstehen	aufgestanden
4 viel zu langsam – laufen	gelaufen
5 viel zu laut – lachen	gelacht
6 viel zu schnell – fahren	gefahren
7 viel zu freundlich – sein	gewesen
8 viel zu oft – hoffen	gehofft

a) Wortgruppen bilden
b) Wortgruppen vorlesen
c) Sätze bilden mit: *Frau (Funke, Frei, Fröhlich, Hoffmann, Weise, Walther, Sawallisch)*, z. B. *Frau Funke hat auf der Party viel zu viel gegessen.*

Übung 7: Phonetik – nicht verstanden? [f], [v]

Die Professorin spricht über Phonologie und Phonetik. → Worüber spricht sie?

1 Es gibt im Deutschen viele Frikative.
2 Phonologie und Phonetik sind einfach zu verstehen.
3 Die Melodie verläuft interrogativ.
4 Das wichtigste Wort wird hervorgehoben.
5 Das Wort „Phonologie" hat vier Silben.
6 Der Akzent fällt auf die letzte Silbe.
7 Ein Diphthong ist eine Vokalverbindung.
8 Die Phonem-Graphem-Verhältnisse sind im Deutschen kompliziert.

Was gibt es im Deutschen?
Was sind Phonologie und Phonetik?
Wie verläuft die Melodie?
Was wird hervorgehoben?
Wie viele Silben hat es?
Auf welche Silbe fällt der Akzent?
Was ist ein Diphthong?
Was ist im Deutschen kompliziert?

CD 2 – 26 a) Sätze hören und nachsprechen
b) Fragen formulieren
c) zu zweit üben: fragen und antworten

Übung 8: Einen Witz erzählen [f], [v]

- Frau Winter kommt ins Geschäft
- beschwert sich beim Verkäufer
- Fleckenwasser gekauft
- sofort ausprobiert
- Fleck geht nicht weg
- Verkäufer sehr verwundert: was für ein Fleck?
- Frau Winter: ein einfacher kleiner Leberfleck

a) Erzählen Sie den Witz mithilfe der Stichpunkte – machen Sie es spannend.
CD 2 – 27 b) eine mögliche Lösungsvariante hören
c) noch einmal selbst probieren

Übung 9: Diktat [f], [v]

Rossini beschä...tigte sich in den späteren Jahren ...or allem mit dem Er...inden neuer Kochrezepte. ...on der Musik ...ollte er nicht mehr ...iel ...issen. Als er ...on einer ...erehrerin seiner Musik ge...ragt ...urde, ...elche Töne er ...ohl ...ür die schönsten au... Erden halte, ant...ortete Rossini: „...enn der Braten in der ...anne schmort und eine ...ein...lasche geö...net ...ird."

Rossini beschä**f**tigte sich in den späteren Jahren **v**or allem mit dem Er**f**inden neuer Kochrezepte. **V**on der Musik **w**ollte er nicht mehr **v**iel **w**issen. Als er **v**on einer **V**erehrerin seiner Musik ge**f**ragt **w**urde, **w**elche Töne er **w**ohl **f**ür die schönsten au**f** Erden halte, ant**w**ortete Rossini: „**W**enn der Braten in der **Pf**anne schmort und eine **W**ein**f**lasche geö**ff**net **w**ird."

CD 2 – 28 a) Text hören und Lücken ergänzen
b) hören und halblaut mitlesen
c) vorlesen
d) recherchieren: Was können Sie noch über Rossini erfahren? (Kurzvortrag vorbereiten und halten)

Übung 10: Textarbeit (→ Übung 1)

Pausen, Akzente und Melodieverläufe

CD 2 – 21 a) Gedicht aus Übung 1 mehrmals hören, dabei Pausen, Akzente und Melodieverläufe vor Pausen markieren
b) hören und halblaut mitlesen
c) vorlesen, Tonaufnahme machen und mit Muster vergleichen
d) Gedicht auswendig lernen und vortragen

15 **Frikative** [s] und [z], [ʃ] und [ʒ]

Übung 1: Einführung

Wa**ss**er allein macht **st**umm,
da**s** bewei**s**en im Teiche die Fi**sch**e.
Wein allein macht dumm,
da**s** bewei**s**en die Herren am Ti**sch**e.
Und weil ich keine**s** von beiden will **s**ein,
trink ich mit Wa**ss**er vermi**sch**t den Wein.
(aus einer Anekdote über Johann Wolfgang von Goethe)

Will er **s**auer, **s**o will ich **süß**,
will er Mehl, **s**o will ich Grie**ß**,
will er e**ss**en, **s**o will ich fa**s**ten,
will er gehen, **s**o will ich ra**s**ten.
I**ss**t er **S**uppe, **s**o e**ss** ich Brocken,
will er **St**rümpfe, **s**o will ich **S**ocken,
Will er die**s**, **s**o will ich da**s**,
singt er Alt, **s**o **s**ing ich Ba**ss**,
will er Hü, **s**o will ich Hott:
Da**s** i**s**t ein Leben, erbarm e**s** Gott!
(nach Abraham a Santa Clara)

Bei den Frikativen [s] und [z] bildet die Vorderzunge hinter den oberen Schneidezähnen eine Enge, der Nasenraum ist durch das gehobene Gaumensegel verschlossen. Bei [s] ist die Spannung höher und das Reibegeräusch deutlicher (fortis) als bei [z] (lenis).

[s]	s	da**s**
	ss	Wa**ss**er
	ß	rei**ß**en
[z]	s	bewei**s**en

Bei den Frikativen [ʃ] und [ʒ] bildet der vordere Zungenrand eine Enge mit dem vorderen harten Gaumen, die Lippen sind kräftig nach vorn gestülpt. Bei [ʃ] ist die Spannung höher und das Reibegeräusch deutlicher (fortis) als bei [ʒ] (lenis). [ʒ] kommt nur in fremden und eingedeutschten Wörtern vor.

[ʃ]	sch	Ti**sch**
	st	**st**umm
	sp	**Sp**iel
[ʒ]	j	**J**ournalist
	g	Eta**g**e

Auslautverhärtung: [z] wird im Wort- und Silbenauslaut zu [s], z. B. *Häuser – Haus*.

An der gleichen Stelle gebildete Frikative an Wort- und Silbengrenzen werden nur einmal realisiert, z. B. *aus Sachsen, Kirschgelee.*

CD 2 – 29 hören und auf Markierungen achten

Übung 2: Wörter und Namen unterscheiden

2.1

[s] – [z]

Reise – (ich) reiße → Reise

1	reißen	reisen	reisen
2	fließen	Fliesen	fließen
3	weiße	weise	weise
4	Muße	Muse	Muße

5	hassen	Hasen	Hasen
6	wessen	Wesen	wessen
7	rissig	riesig	riesig
8	Meißen	Meisen	Meißen

CD 2 – 30 a) gehörtes Wort unterstreichen
b) nachsprechen
c) Paare vorlesen
d) Reihen vorlesen
e) Wörter in Wortgruppen verwenden, z. B. *eine Reise ins Glück*

2.2 [s] – [ʃ]

Kraus – Krausch → Kraus

1	Rissel	Rischel	Rischel
2	Huska	Huschka	Huska
3	Raatz	Raatsch	Raatz
4	Peske	Peschke	Peschke
5	Postel	Poschtel	Postel
6	Rössel	Röschel	Röschel
7	Weske	Weschke	Weschke
8	Pausdorf	Pauschdorf	Pausdorf

CD 2 – 31 a) gehörtes Wort unterstreichen
b) nachsprechen
c) Paare vorlesen
d) Reihen vorlesen
e) zu zweit üben: *A: Heißt diese Person Kraus? B: Nein, Krausch.*

2.3 [ʃ], [ʒ]

	[ʃ]	[ʒ]
Schuhe →	x	
1		
2		
3		
4		
5		
6		
7		
8		
9		
10		

[ʃ]	[ʒ]	
x		Tasche
	x	Gelee
	x	Etage
x		schenken
	x	Genie
x		Schere
x		Schüler
	x	Jury
x		geschehen
	x	Manege

CD 2 – 32 a) gehörten Laut markieren
b) nachsprechen
c) vorlesen
d) Wörter in Wortgruppen verwenden, z. B. *meiner Schwester Schuhe schenken*
e) zu zweit üben: Wortgruppen diktieren/aufschreiben

Übung 3: Ein Sportfest im August

<sp, st>:[ʃp], [sp], [ʃt], [st]

1 am ersten August
2 im Stadion am Westpark
3 ein großes Sportfest
4 Gäste aus Spanien
5 das Sportzeug auspacken
6 an den Start gehen
7 leistungsstarke Speerwerfer
8 Hochsprung und Kugelstoßen
9 begeistert Fußball spielen
10 Spaß und Spiel für alle

a) <s> für [ʃ] markieren, z. B. *Sportfest*
b) vorlesen
c) Beispiele im Satz verwenden und das Sportfest beschreiben

am ersten August
im Stadion am Westpark
ein großes Sportfest
Gäste aus Spanien
das Sportzeug auspacken
an den Start gehen
leistungsstarke Speerwerfer
Hochsprung und Kugelstoßen
begeistert Fußball spielen
Spaß und Spiel für alle

Übung 4: Die Sonntagszeitung

[s], [z], [ʃ], [ʒ]

1 __ournal am __onntag
2 intere__ante __lagzeilen
3 kriti___e Au__land__berichte
4 Fotomonta__en
5 das Rei__e__ournal
6 neue__te __portreporta__en
7 Be__t__ellerli__ten
8 Ge__undheit__tipp__
9 __ilbenrät__el
10 der gro__e Fort__etzung__roman

CD 2 – 33 a) Wortgruppen hören und Lücken ergänzen
b) nachsprechen
c) vorlesen
d) Beispiele im Satz verwenden und die Sonntagszeitung beschreiben

Journal am Sonntag
interessante Schlagzeilen
kritische Auslandsberichte
Fotomontagen
das Reisejournal
neueste Sportreportagen
Bestsellerlisten
Gesundheitstipps
Silbenrätsel
der große Fortsetzungsroman

Übung 5: Auslautverhärtung

[s] – [z]

das Haus → die Häuser

1	das Gras	die Gräser
2	das Glas	die Gläser
3	das Gleis	die Gleise
4	der Preis	die Preise
5	der Kreis	die Kreise
6	der Vers	die Verse
7	der Ausweis	die Ausweise
8	der Sprachkurs	die Sprachkurse

a) Pluralform ergänzen
b) Paare vorlesen, auf Auslautverhärtung achten
c) Reihen vorlesen
d) Wörter mit Adjektiven *(kleinste, feinste, sauberste, nächste, höchste, größte, romantischste, neueste, interessanteste, ...)* verbinden, z. B. *das kleinste Haus, die kleinsten Häuser*

Übung 6: Verbindungen

6.1 Wo und Woher

[s] und [z] an Wort- und Silbengrenzen

in Sachsen → aus Sachsen

1 in Sachsen-Anhalt
2 in Solingen
3 in Saalfeld
4 in Saarbrücken
5 in Sindelfingen
6 in Sangerhausen
7 in Suhl
8 in Salzburg

a) Wortgruppen mit *aus* bilden
CD 2 – 34 b) Paare hören und nachsprechen
c) Reihen vorlesen
d) Paare vorlesen
e) Namen in Wortgruppen verwenden, z. B. *jemanden in Sachsen besuchen, jemand aus Sachsen kommt zu Besuch*

6.1 Alles oder nichts

sagen etwas → etwas sagen

sagen	nichts / alles
suchen	etwas / nichts / dauernd etwas
sehen	etwas / besser nichts / alles

a) Wortgruppen bilden
b) vorlesen
c) Wortgruppen in Sätzen verwenden, z. B.
Willst du etwas sagen?

Übung 7: Spielanleitung

[s], [z], [ʃ], [ʒ]

Kennen Sie das Spiel *Ich sehe was, was du nicht siehst!?* – Nein? – Passen Sie auf!
Es geht so: Die Mitspieler sitzen in einem Raum, der mit möglichst vielen Dingen ausgestattet ist. Ein Mitspieler sucht etwas aus dem gemeinsamen Blickfeld aus und schreibt es auf einen Zettel. Dann sagt er: *„Ich sehe was, was du nicht siehst, und das sieht beige aus! Was ist das?"* – Nun müssen die anderen raten. Wer errät, was auf dem Zettel steht, kann als Nächster fragen.
Verwendet werden alle Farben. Suchen sollen Sie hier aber nur Gegenstände, die ein [s], [z], [ʃ] oder [ʒ] enthalten, z. B. *Vase, Bluse, Hose, Strümpfe, Schuh, Schal, Tasche, Flasche, Obst, Glas, Fenster* usw.!

a) Spielanleitung vorlesen
b) zu zweit oder in der Gruppe spielen

Übung 8: Stimmt denn das?

[s], [z], [ʃ], [ʒ]

Ich fliege zum Mars. → Wohin fliegst du? Zum Mars?

1	Ich lebe jetzt in Singen.	Wo lebst du? In Singen?
2	Ich esse am liebsten Orangengelee.	Was isst du am liebsten? Orangengelee?
3	Ich wohne in der Silberstraße 77.	Wo wohnst du? In der Silberstraße 77?
4	Ich habe am 29. Februar Geburtstag.	Wann hast du Geburtstag? Am 29. Februar?
5	Unser Haus hat 16 Etagen.	Wie viele Etagen hat es? 16?
6	Meine Freundin heißt Jeanette.	Wie heißt sie? Jeanette?
7	Sie ist Sportjournalistin.	Was ist sie? Sportjournalistin?
8	Ich arbeite als Ausredenerfinder.	Als was arbeitest du? Als Ausredenerfinder?

CD 2 – 35 a) Fragen formulieren
b) Fragen verwundert nachsprechen
c) zu zweit üben, erst lesen, dann frei sprechen

Übung 9: Diktat

[s], [z]

In Eisenach gibt es viel .... zu sehen. Die .... Besucher der Stadt .... natürlich .... die Wartburg. Sie ist .... mit dem Namen Martin Luthers verbunden. In Eisenach wird man aber auch an Johann .... Bach erinnert. .... gilt der zweite .... oft dem Bachhaus. Hier sind alte .... zu sehen und zu hören.

Interessantes
meisten besichtigen
zuerst aufs Engste

Sebastian
Deshalb Besuch
Musikinstrumente

CD 2 – 36 a) Text hören und Lücken ergänzen
b) hören und halblaut mitlesen
c) vorlesen
d) recherchieren: Was können Sie noch über Eisenach erfahren? (Kurzvortrag vorbereiten und halten)

Übung 10: Textarbeit (→ Übung 1)

Pausen, Akzente und Melodieverläufe

CD 2 – 29 a) Gedichte aus Übung 1 mehrmals hören, dabei Pausen, Akzente und Melodieverläufe vor Pausen markieren
b) hören und halblaut mitlesen
c) vorlesen, Tonaufnahme machen und mit Muster vergleichen
d) ein Gedicht auswendig lernen und vortragen

16 Frikative [ç] und [j] und [x]

Übung 1: Einführung

Ein Mensch – man sieht, er ärgert si**ch** –
schreit wild: Das ist **j**a lä**ch**erli**ch**!
Der andre, gar ni**ch**t aufgebra**ch**t,
zieht draus die Folgerung und – la**ch**t.

(Eugen Roth)

Freunde, nur Mut!
lä**ch**elt und spre**ch**t:
Die Menschen sind gut,
nur die Leute sind schle**ch**t.

(Erich Kästner)

Wer im zwanzi**g**sten **J**ahr ni**ch**t schön,
im dreißi**g**sten **J**ahr ni**ch**t stark,
im vierzi**g**sten **J**ahr ni**ch**t klug,
im fünfzi**g**sten **J**ahr ni**ch**t rei**ch** ist,
der darf dana**ch** ni**ch**t hoffen.

(Martin Luther)

CD 2 – 37 hören und auf Markierungen achten

Bei den Frikativen [ç] und [j] bildet die Vorderzunge zwischen Mittelzunge und Gaumen eine Enge, der Nasenraum ist durch das gehobene Gaumensegel verschlossen. Beim Ich-Laut [ç] ist die Spannung höher und das Reibegeräusch deutlicher (fortis) als bei [j] (lenis). Der Ach-Laut [x] entsteht durch eine Enge zwischen Hinterzunge und hinterem Gaumen, das Reibegeräusch ist kräftig (fortis).

[ç]	ch	ni**ch**t
[j]	j	**j**a
[x]	ch	la**ch**en

In der Standardaussprache wird die Endung *-ig* mit [ç] gebildet, z. B. *in Leipzi**g***.

An der gleichen Stelle gebildete Frikative an Wort- und Silbengrenzen werden nur einmal realisiert, z. B. *ich ja*.

Übung 2: Wörter unterscheiden

2.1

Männchen – Menschen → Menschen

1	Kirche	Kirsche
2	Teppich	täppisch
3	Löcher	Löscher
4	selig	seelisch
5	rassig	rassisch
6	Herrchen	herrschen
7	entwichen	entwischen
8	trag ich	tragisch
9	(er) fischte	Fichte
10	rußig	russisch

CD 2 – 38 a) gehörtes Wort unterstreichen
b) nachsprechen
c) Paare vorlesen
d) Reihen vorlesen
e) zu zweit üben: *A: Sagtest du Männchen? B: Nein, Menschen.*

[ç] – [ʃ]

Kirsche
Teppich
Löcher
seelisch
rassig
Herrchen
entwischen
tragisch
Fichte
russisch

2.2

	[ç]	[j]	[x]
Chemie →	x		
1			
2			
3			
4			
5			
6			
7			
8			
9			
10			

CD 2 – 39 a) gehörten Laut markieren
b) nachsprechen
c) vorlesen
d) Wörter in Sätzen verwenden, z. B. *Chemie interessiert mich nicht.*

[ç], [j], [x]

[ç]	[x]	[j]	
		x	jemand
x			echt
	x		acht
	x		Bach
x			Bäche
		x	Jugend
		x	jetzt
x			manche
	x		machen
x			welche

2.3

	gleich	ungleich
acht – acht →	x	
1		
2		
3		
4		
5		
6		
7		
8		
9		
10		

CD 2 – 40 a) ankreuzen, ob die gehörten Wörter gleich oder ungleich sind
b) nachsprechen
c) Paare vorlesen

[x] – [k]

gleich	ungleich		
	x	acht	Akt
x		Pakt	Pakt
x		Jagd	Jagd
	x	Nacht	nackt
	x	regnen	rechnen
	x	Tag	Dach
x		Buch	Buch
x		Loch	Loch
	x	Bug	Buch
	x	Lok	Loch

Übung 3: Solche Menschen! [ç]

1 freundliche Mädchen
2 gerechte Richter
3 ordentliche Chirurgen
4 gründliche Chemiker
5 fröhliche Techniker
6 wunderliche Architekten
7 schlechte Köche
8 ehrliche Töchter
9 glückliche Pärchen
10 unglückliche Pechvögel

a) Wortgruppen vorlesen
b) Beispiele im Satz verwenden, z. B. *Ich kenne nur/ keine /viele, einige, ...*

Übung 4: Wirklich? [ç], [j], [x]

Die Menschen in Deutschland sind ...
→ sehr freundlich.

1 Junge Mädchen sind oft	erfreulich fröhlich.
2 Die alten Sachen sind	schäbig und durchlöchert.
3 Joachim spricht	chinesisch und griechisch.
4 Das Fleischgericht ist	leicht verdaulich.
5 Die Brötchen sind	wirklich frisch.
6 Nach den Ferien sind die Schüler	vernünftig und tüchtig.
7 Weihnachten ist jedes Jahr	fürchterlich kalorienreich.
8 Ein Ausspracheкurs ist	richtig wichtig.

a) Sätze mit passenden Wortpaaren beenden: *chinesisch und griechisch, richtig wichtig, erfreulich fröhlich, schäbig und durchlöchert, leicht verdaulich, fürchterlich kalorienreich, vernünftig und tüchtig, wirklich frisch*
(rechts – eine mögliche Lösung)
b) Sätze vorlesen
c) Sätze anders beenden und vorlesen

Übung 5: Substantive

5.1 Diminutivendung *-chen* [ç]

das Haus → das Häuschen

1 das Zimmer	das Zimmerchen
2 der Stuhl	das Stühlchen
3 der Tisch	das Tischchen

4 die Puppe	das Püppchen
5 das Kind	das Kindchen
6 der Strumpf	das Strümpfchen
7 die Jacke	das Jäckchen
8 der Becher	das Becherchen

a) Diminutivformen ergänzen
b) vorlesen
c) Beispiele in Sätzen verwenden und eine kleine Geschichte erzählen, z. B. *In einem kleinen Häuschen gab es fünf kleine ...*

5.2 Plural und Singular — [ç] → [x]

die Bücher → das Buch

1 die Bäche	der Bach
2 die Nächte	die Nacht
3 die Fächer	das Fach
4 die Brüche	der Bruch
5 die Löcher	das Loch
6 die Köche	der Koch
7 die Sträucher	der Strauch
8 die Schläuche	der Schlauch

a) Singularform ergänzen
b) Paare vorlesen
c) Reihen vorlesen
d) Beispiele in Sätzen verwenden, z. B. *Ohne Bücher/Buch schlaf ich nicht ein.*

Übung 6: Steigerungsformen — [ç]

wenig → weniger, am wenigsten

1 billig	billiger, am billigsten
2 nötig	nötiger, am nötigsten
3 fleißig	fleißiger, am fleißigsten
4 schwierig	schwieriger, am schwierigsten
5 tüchtig	tüchtiger, am tüchtigsten
6 wichtig	wichtiger, am wichtigsten
7 freundlich	freundlicher, am freundlichsten
8 reichlich	reichlicher, am reichlichsten

a) Steigerungsformen ergänzen
b) Reihen vorlesen
c) Beispiele in Sätzen verwenden, z. B. *Ich habe wenig Zeit, mein Bruder hat noch weniger Zeit, und meine Mutter hat am wenigsten Zeit.*

Übung 7: Verbindungen

[ç], [j], [ʃ], [x]

1 sich schämen
2 sich schütteln
3 ein Tischchen
4 ein Täschchen
5 durch Jena
6 noch jung
7 nach Jahren
8 nach China
9 nach Schönau
10 noch schwer

CD 2 – 41 a) hören und auf Markierungen achten
b) nachsprechen
c) vorlesen
d) Beispiele in Sätzen verwenden

Übung 8: Na so was!

[ç], [j], [x]

täglich Sekt trinken → Sie trinken täglich Sekt?

1 nie Milch trinken
2 drei Schachteln Zigarren am Tag rauchen
3 gern fettes Fleisch essen
4 nicht gern lesen
5 jedes Jahr drei Monate Urlaub machen
6 jeden Tag eine Party machen
7 nicht schwimmen können
8 Löcher im Strumpf haben

a) Fragen bilden
CD 2 – 42 b) Fragen hören und missbilligend/kritisch nachsprechen
c) zu zweit üben: Fragen stellen und beantworten
d) Fragen jetzt neugierig stellen

Übung 9: Diktat

[ç], [j], [x], [ʃ]

Friedrich Schiller lebte von .... bis .... Er .... seine Kindheit in .... , ... und .... An der Universität in .... war er Professor für .... kam er nach Weimar. Dort traf er Goethe, mit dem ihn eine .... verband. Schiller schrieb Dramen, ... , ... und ....

.... , mit .... Jahren, starb er .... in Weimar.

1759 1805 verbrachte
Marbach Ludwigsburg
Lorch Jena
Geschichte 1787
echte Freundschaft
Gedichte
historische kunsttheoretische
Schriften
Noch jung 46 1805

CD 2 – 43 a) Text hören und Lücken ergänzen
b) hören und halblaut mitlesen
c) vorlesen
d) recherchieren: Was können Sie noch über Friedrich Schiller erfahren? (Kurzvortrag vorbereiten und halten)

Übung 10: Textarbeit (→ Übung 1)

Pausen, Akzente und Melodieverläufe

CD 2 – 37 a) Gedichte aus Übung 1 mehrmals hören, dabei Pausen, Akzente und Melodieverläufe vor Pausen markieren
b) hören und halblaut mitlesen
c) vorlesen, Tonaufnahme machen und mit Muster vergleichen
d) ein Gedicht auswendig vortragen

17 R-Laute

Übung 1: Einführung

Kinderreime

Eins, zwei, d**r**ei,
auf de**r** St**r**aße liegt ein Ei.
We**r** da**r**auf t**r**itt,
spielt nicht meh**r** mit!

Eins, zwei, d**r**ei, vie**r**, fünf, sechs, sieben.
We**r** hat diesen B**r**ief gesch**r**ieben?
Ein**er** fü**r** mich,
Ein**er** fü**r** dich,
Ein**er** für He**rr**n F**r**iede**r**ich.

Rote Ki**r**schen ess ich ge**r**n,
Schwa**r**ze noch viel lieb**er**.
In die Schule geh ich ge**r**n
Alle Tage wied**er**.

CD 2 – 44 hören und auf Markierungen achten

Im Deutschen gibt es ein Zungenspitzen-, ein Zäpfchen- und ein Reibe-R. Wir sprechen hier das Reibe-R, es entsteht durch eine Enge zwischen Hinterzunge und Gaumen (wie bei [x], aber mit schwachem, meist stimmhaftem Reibegeräusch), der Nasenraum ist durch das gehobene Gaumensegel verschlossen. Das Reibe-R kommt vor Vokalen im Wort und Silbenanlaut vor. Nach kurzem Vokal und den A-Lauten wird es nur bei sehr deutlicher Aussprache gebildet, sonst wird es in dieser Position vokalisiert (z. B. *gern*).

	r	**r**ot, d**r**ei, (ge**r**n, Jah**r**)
[r]	rr	He**rr**
	rh	**Rh**ythmus

Vokalisiertes R: Nach langen Vokalen wird ein halbhoher dunkler nichtsilbischer Mittelzungenvokal ([ᵊ]) gesprochen, sein Klang liegt zwischen [ə] und [ɔ]; in *er-*, *her-*, *ver-*, *zer-* und in *-er* wird statt [ɛ] bzw. [ə + ʁ] nur das silbische [ɐ] gesprochen: ***Er**zähl**er*** (zweimal [ɐ]).

[ᵊ]	r	vier, (gern, Jahr)
[ɐ]	-er	wied**er**
	-er	vergessen

R-Laute an Wort- und Silbengrenzen werden nur einmal realisiert, z. B. *Herr Reuter*-

Übung 2: Namen und Wörter unterscheiden

2.1

mit und ohne [r]

Burster – Buster → Burster

1	Korte	Kotte	Korte
2	Ferstel	Festel	Festel
3	Scharrel	Schachel	Schachel
4	Dortke	Dochtke	Dortke
5	Kurenberg	Kuchenberg	Kurenberg
6	Biere	Biele	Biele
7	Gehrig	Gehdig	Gehdig

8 Ramsdorf	Lamsdorf	Ramsdorf
9 Wirt	Wild	Wirt
10 Gehre	Gehle	Gehle

CD 2 – 45 a) gehörten Namen unterstreichen
b) nachsprechen
c) Paare vorlesen
d) Reihen vorlesen
e) zu zweit üben: *A: Heißt der neue Lehrer Buster? / B: Nein, Burster …*

2.2 [r] – [l]

Land – Rand → <u>Rand</u>

1 leise	Reise	Reise
2 Floh	froh	Floh
3 Lektor	Rektor	Lektor
4 hell	Herr	Herr
5 Geld	Gerd	Geld
6 halt	hart	hart

CD 2 – 46 a) gehörtes Wort unterstreichen
b) nachsprechen
c) Paare vorlesen
d) Reihen vorlesen
e) Wörter in Wortgruppen verwenden, z. B. *ein Land in Europa*

2.3 [r] – [ɐ]

1 Urteil	Uhrglas
2 Herr	her
3 Spurt	Spur
4 Wirt	wir
5 Hirt	hier
6 vorn	vor

CD 2 – 47 a) Paare hören und nachsprechen
b) Paare vorlesen
c) Reihen vorlesen
d) Wörter in Wortgruppen verwenden, z. B. *ein hartes Urteil*

Übung 3: R-Laute in verschiedenen Kontexten

3.1

[r] nach Konsonant

1 einen Brief an Bruno schreiben
2 Grüße an Rosalie und Gregor bestellen
3 den Brief in einen Briefumschlag stecken
4 die Adresse schreiben
5 eine Briefmarke draufkleben
6 den Brief zur Post bringen
7 Bruno und Rosalie treffen
8 eine große Freude ...

CD 2 – 48 a) Wortgruppen hören und nachsprechen
b) Wortgruppen vorlesen
c) Sätze bilden und sprechen – Ablauf erzählen
d) An wen schreiben Sie Briefe? – weitere Sätze bilden und sprechen, z. B. *Ich schreibe einen Brief an meine Eltern. ...*

3.2

[r] nach A-Lauten

→ Marathon im Park

1 ein Jahr später
2 ein Paar in einer Bar
3 ein paar Fahrkarten
4 Gefahr für Darmstadt
5 warten auf Barbara
6 Start zum Paarlauf
7 warme Arbeitskleidung
8 harte Arbeit

CD 2 – 49 a) Wortgruppen hören und mitschreiben
b) nachsprechen
c) vorlesen
d) Wortgruppen in Sätzen verwenden, z. B. *Ich starte beim Marathon im Park.*

3.3

[ɐ] nach langem Vokal

1 Die Uhr gehört dir.
2 Die Figur gehört mir.
3 Das Papier gehört dir.
4 Das Klavier gehört mir.
5 Das Bier gehört dir.
6 Der Likör gehört mir.

7	Das Pferd gehört dir.
8	Das Souvenir gehört mir.
9	Die Illustrierte gehört dir.
10	Der Erdbeersaft gehört mir.

CD 2 – 50 a) Sätze hören und nachsprechen
b) vorlesen
c) zu zweit üben – *was gehört mir, was dir?*

Übung 4: Koffer packen

[r], [ɐ]

ein Sprachführer → [r] [r] [ɐ]

1 Briefpapier	[ ]	[ ]		[r]	[ɐ]	
2 ein warmer Pullover	[ ]	[ ]	[ ]	[r]	[ɐ]	[ɐ]
3 zwei karierte Halstücher	[ ]	[ ]	[ ]	[r]	[ɐ]	[ɐ]
4 Kreuzworträtsel	[ ]	[ ]	[ ]	[r]	[r]	[r]
5 eine Sonnenbrille mit grünen Gläsern	[ ]	[ ]	[ ]	[r]	[r]	[ɐ]
6 einen aufregenden Kriminalroman	[ ]	[ ]	[ ]	[r]	[r]	[r]
7 einen Rasierapparat	[ ]	[ ]	[ ]	[r]	[ɐ]	[r]
8 die Rückfahrkarte	[ ]	[ ]	[ ]	[r]	[r]	[r]

a) R-Laute transkribieren
b) Beispiele vorlesen
c) reihum spielen: *Wir packen in unseren Koffer einen Sprachführer. Wir ... und ...*
d) noch mehr Sachen mit R-Lauten in den Koffer packen – weiterspielen

Übung 5: Wortbildung

5.1 Partizipien

[r], [ɐ]

stören → gestört

1 hören	gehört
2 spüren	gespürt
3 führen	geführt
4 lehren	gelehrt
5 diktieren	diktiert
6 marschieren	marschiert

a) Partizipien bilden
b) Paare vorlesen
c) Sätze bilden, z. B. *Wer hat hier wen gestört?*

5.2 Substantive

[r], [ɐ]

fahren → der Fahrer, die Fahrerin

1	lehren	der Lehrer, die Lehrerin
2	hören	der Hörer, die Hörerin
3	klagen	der Kläger, die Klägerin
4	schreiben	der Schreiber, die Schreiberin
5	laufen	der Läufer, die Läuferin
6	springen	der Springer, die Springerin

a) maskuline und feminine Substantive bilden
b) Reihen vorlesen
c) Verb und eine Substantivform in einem Satz verwenden, z. B. *Die Fahrerin in dem roten Auto fährt zu schnell.*

Übung 6: Für Raucher

[r], [ɐ]

1 Rauchen ist schädlich.
2 Zigarren und Zigaretten enthalten Nikotin und Teer.
3 Rauchen verursacht: Erbrechen, Durchfall, Zittern.
4 Folgen bei mehrjährigem Rauchen: Krankheiten (Durchblutungsstörungen, Herzinfarkt, Magengeschwüre, Lungenkrebs)
5 Nichtraucher: krank durch passives Mitrauchen
6 Kinder besonders gefährdet
7 sollte in der Öffentlichkeit verboten werden

a) Sätze bilden und vorlesen
b) über die Schädlichkeit des Rauchens sprechen
c) eigene Meinung sagen und begründen – *Pro oder Kontra Rauchen in der Öffentlichkeit?*

Übung 7: In der Schule!

[r], [ɐ]

1 Kreuze die richtige Lösung an!
2 Markiere die gehörte Antwort!
3 Rechne richtig!
4 Schreib die Wörter ab!
5 Bring das Heft her!
6 Korrigiere die Fehler!
7 Sprich lauter!
8 Hör besser zu!
9 Sitz gerade!
10 Frag, wenn du was nicht verstehst!

CD 2 – 51 a) hören und emotional (befehlend) nachsprechen

b) nachdrücklich sprechen („*endlich*“ ergänzen), z. B. *Rechne endlich richtig!*
c) Freundlich sprechen („*bitte*“ ergänzen), z. B. *Rechne bitte richtig.*

Übung 8: Diktat

[r], [ɐ]

F...itz ...euter wa... ein bekannt..... no...ddeutsch..... ....zähl...... . E... wu...de 1810 in Stavenhagen in Mecklenbu...g gebo...en. Im Alt..... von d...eißig Jah...en begann e... mit e...sten sch...iftstell.....ischen Ve...suchen.
E... wandte sich besond...s sozialk.....itischen F...agen zu. Die meisten ...omane, Schnu.....en, Sati...en und Humo...esken sch...ieb e... in mecklenbu...gisch... Munda...t. Sie entwe...fen ein ...eales Zeitbild des f...üh...en dö...flichen Lebens. Reuter sta...b 1874 in Eisenach in Thü...ingen.

Fritz Reuter war ein bekannter norddeutscher Erzähler. Er wurde 1810 in Stavenhagen in Mecklenburg geboren. Im Alter von dreißig Jahren begann er mit ersten schriftstellerischen Versuchen.
Er wandte sich besonders sozialkritischen Fragen zu. Die meisten Romane, Schnurren, Satiren und Humoresken schrieb er in mecklenburgischer Mundart. Sie entwerfen ein reales Zeitbild des früheren dörflichen Lebens. Reuter starb 1874 in Eisenach in Thüringen.

CD 2 – 52 a) Text hören und Lücken ergänzen
b) hören und halblaut mitlesen
c) vorlesen
d) recherchieren: Was können Sie noch über Fritz Reuter erfahren? (Kurzvortrag vorbereiten und halten)

Übung 9: Textarbeit (→ Übung 1)

Pausen, Akzente und Melodieverläufe

CD 2 – 44 a) Reime aus Übung 1 mehrmals hören, dabei Pausen, Akzente und Melodieverläufe vor Pausen markieren
b) hören und halblaut mitlesen
c) vorlesen, Tonaufnahme machen und mit Muster vergleichen
d) Reime auswendig lernen und vortragen

18 Nasale

Übung 1: Einführung

In der Ausstellu**ng**

A: Soll das ein Sonnenaufga**ng** oder ein Sonnenuntergа**ng** sein?
B: Natürlich ein Sonnenunterga**ng**. Ich kenne den Maler. Der schläft immer so la**ng**e, dass er den Sonnenaufga**ng** nie sieht.

Die Kli**ng**el

A: Herr Si**ng**er, wollten Sie nicht meine Kli**ng**el reparieren? Ich habe gestern la**ng**e auf Sie gewartet.
B: Sie haben la**ng**e gewartet? Ja, aber ich habe gekli**ng**elt und gekli**ng**elt, und keiner hat geöffnet. Da bin ich wieder gega**ng**en.

Umgekehrt

A: Wenn ich Kaffee tri**nk**e, kann ich nicht schlafen.
B: Bei mir ist es umgekehrt: Wenn ich schlafe, kann ich keinen Kaffee tri**nk**en.

CD 2 – 53 hören und auf Markierungen achten

Bei den drei deutschen Nasalen [m n ŋ] wird die Ausatmungsluft durch die Nase geleitet, die Stimmlippen schwingen. Bei [m] bilden die Lippen, bei [n] Zunge und Zahndamm und beim Ang-Laut [ŋ] die Hinterzunge und der hintere Gaumen einen Verschluss. Während [m] und [n] als universelle Konsonanten für Deutschlernende unproblematisch sind, ist der sog. Ang-Laut für viele schwierig zu bilden und wird hier besonders geübt.

[m]	m	**M**aler
	mm	i**mm**er
[n]	n	**N**ame
	nn	Ma**nn**
[ŋ]	ng	la**ng**e
	n(k)	tri**n**ken
	n(g)	Ta**n**go

Gleiche Nasale an Wort- und Silbengrenzen werden nur einmal realisiert, z. B. *mein Name*.

Achtung: Der Verschluss des Ang-Lautes wird (außer in der Verbindung <nk> wie in *trinken* und einigen wenigen Wörtern mit <ng> wie *Tango*) nasal, ohne nachfolgendes [g] oder [k] gelöst!

Übung 2: Namen und Wörter unterscheiden

2.1

Spanne – Spange → <u>Spange</u>

1	Wanne	Wange
2	rinnen	ringen
3	drinnen	dringen
4	sinnen	singen
5	wanken	Wangen

[n] – [ŋ] / [ŋk] – [ŋ]

Wanne
ringen
drinnen
singen
wanken

6	sinken	singen	singen
7	Klinke	Klinge	Klinge
8	schlank	schlang	schlank

CD 2 – 54 a) gehörtes Wort unterstreichen
b) nachsprechen
c) Paare vorlesen
d) Reihen vorlesen

2.2 [n], [ŋ], [m]

Mennel – Mengel – Memmel → Memmel

1	Renner	Renger	Remmer	Renger
2	Runnel	Rungel	Rummel	Rungel
3	Sprenne	Sprenge	Spremme	Sprenge
4	Bronnert	Brongert	Brommert	Brongert
5	Lunnersbach	Lungersbach	Lummersbach	Lungersbach
6	Lennermann	Lengermann	Lemmermann	Lennermann
7	Tann	Tang	Tamm	Tamm
8	Sinnwitz	Singwitz	Simmwitz	Singwitz

CD 2 – 55 a) gehörten Namen unterstreichen
b) nachsprechen
c) zeilenweise vorlesen
d) Reihen vorlesen
e) zu zweit üben: *A: Heißt er Mennel? / B: Nein, Mengel ...*
f) Vornamen mit gleichem Nasal ergänzen und zusammen mit Familiennamen sprechen, z. B. *Anne Mennel, Inge Mengel, ... (Anke, Benny, Bianka, Denni, Emma, Engelbert, Frank, Franka, Hannes, Hanni, Hanno, Henni, Ingo, Jenni, Jens, Jim, Konni, Kuno, Ringo, Rommy, Sandra, Sven, Tamara, Tanja, Tina, Timo, Tino, Tomas, Toni)*

2.3 [n] – [l]

Halle – Hanne → Halle

1	alle	Anne	Anne
2	Kilo	Kino	Kilo
3	Saale	Sahne	Saale
4	weilen	weinen	weinen
5	leben	neben	neben
6	Zahl	Zahn	Zahn
7	bald	Band	bald
8	Hals	Hans	Hans

CD 2 – 56 a) gehörtes Wort unterstreichen
b) nachsprechen
c) Paare vorlesen
d) Reihen vorlesen
e) beide Wörter in einem Satz verwenden, z. B. *Hanne wohnt in Halle.*

Übung 3: Danke [n], [ŋ], [ŋk]

1 Vielen Dank für die Zeitungen.
2 Besten Dank für den Ring.
3 Danke für die Zeichnungen.
4 Ich bedanke mich für die Einladung.
5 Herzlichen Dank für den schönen Gesang.
6 Und Danke für die vielen Geschenke.

a) Sätze vorlesen
b) zu zweit üben: danken und reagieren *(gern geschehen, keine Ursache, ...)*
c) weitere Sätze bilden und zu zweit üben: *Ich danke dir/Ihnen für die Einladung.*

Übung 4: Auf dem Campingplatz [ŋ], [ŋg], [ŋk]

Auf dem Campi**ng**platz	[ŋ]			
1 **Ing**e sitzt auf einer Ba**nk**.	[ ]	[ ]	[ŋ]	[ŋk]
2 Frau Me**ng**el tri**nk**t schon wieder Tee.	[ ]	[ ]	[ŋ]	[ŋk]
3 Herr und Frau Trä**nk**ner üben Ta**ng**otanzen.	[ ]	[ ]	[ŋk]	[ŋg]
4 **Ing**o schält sich eine Ma**ng**o.	[ ]	[ ]	[ŋg]	[ŋg]
5 A**ng**ela si**ng**t ein Lied.	[ ]	[ ]	[ŋg]	[ŋ]
6 E**ng**elbert wi**nk**t uns zu.	[ ]	[ ]	[ŋ]	[ŋk]
7 Fra**nk** liest eine Zeitu**ng**.	[ ]	[ ]	[ŋk]	[ŋ]
8 Frau Spri**ng**er hä**ng**t Wäsche auf.	[ ]	[ ]	[ŋ]	[ŋ]

a) markierte Nasale transkribieren: [ŋ], [ŋg] oder [ŋk]
b) Wörter mit [ŋ] vorlesen, Wörter mit [ŋg] und [ŋk] vorlesen
c) weitere Sätze bilden – was machen *Inge, Ingo, Angela, Engelbert, Frank, Frau Mengel, Frau Springer und Herr Tränkner* noch auf dem Campingplatz?

Übung 5: Wortbildung

5.1	[ŋ]
die Prüfung → die Prüfungen	
1 die Lösung	
2 die Endung	
3 die Sendung	
4 die Prüfung	
5 die Zeitung	
6 die Meinung	
7 die Wohnung	
8 die Rechnung	
9 die Regierung	
10 die Reservierung	
a) Plural bilden b) Paare vorlesen c) Substantive in Wortgruppen verwenden, z. B. *die Prüfung / die Prüfungen bestehen*	

5.2	[n] vor Konsonanten
bewusst → unbewusst	
1 beliebt	unbeliebt
2 bekannt	unbekannt
3 bequem	unbequem
4 pünktlich	unpünktlich
5 genügend	ungenügend
6 geduldig	ungeduldig
7 klar	unklar
8 klug	unklug
a) Antonyme bilden CD 2 – 57 b) Lösung hören und nachsprechen (erst langsam, dann schnell) c) Antonyme mit *un-* in Wortgruppen oder Sätzen verwenden, z. B. *unbewusst alles richtig machen, Das habe ich unbewusst richtig gemacht.*	Beim langsamen Sprechen bleibt das [n] erhalten, beim schnellen Sprechen passt es sich an den folgenden Konsonanten an.

Übung 6: Landeskunde	[ŋ], [n], [ŋg], [ŋk]
Mannheim → Mannheim liegt in Deutschland.	
1 Bangkok	liegt in Thailand.
2 Luanda	liegt in Angola.
3 Ankara	liegt in der Türkei.
4 Casablanca	liegt in Marokko.

5 Ulan Bator	liegt in der Mongolei.
6 Lyon	liegt in Frankreich.
7 Peking	liegt in China.
8 Sankt Petersburg	liegt in Russland.
9 Washington	liegt in den USA.
10 Der Balaton	liegt in Ungarn.

a) Sätze mit Ländernamen ergänzen
b) vorlesen
c) zu zweit üben – nach Orten fragen und antworten
d) einen Ort auswählen und recherchieren: Entfernung, Klima, Sehenswürdigkeiten, ... (Kurzvortrag vorbereiten und halten)

Übung 7: Der Angler [ŋ]

– Ein Mann angelt
– ein Fisch hängt an der Angel

– er bringt den Fisch nach Hause

– die Fotografen drängen sich

– Meldung vom Fischfang steht in der Zeitung

– der Angler stillt seinen Hunger

– der Mann geht wieder angeln und denkt an einen großen Fang

– alle lesen es in der Zeitung
– viele Angler kommen
– Schluss mit dem Anglerglück

a) Bilder ansehen und beschreiben
b) zu den Bildern eine Geschichte erzählen (Wortgruppen/Sätze rechts verwenden)

Übung 8: Den Tisch decken [ŋ]

Bring doch bitte die Milch mit! → Bringst du bitte die Milch mit?

1 Bring doch bitte das Gemüse mit!
2 Bring doch bitte auch die Kartoffeln mit!
3 Bring doch bitte die Pfanne mit!

4 Bring doch bitte die Teller mit!
5 Bring bitte eine kleine Kelle mit!
6 Bring bitte noch die Servietten mit!
7 Bring bitte den Braten mit!
8 Bring bitte endlich einen Löffel mit!

CD 2 – 58 a) Aufforderungen mitlesen, Fragen verärgert/ungeduldig nachsprechen
b) zu zweit (abwechselnd) üben, auch andere Dinge mitbringen lassen

Übung 9: Diktat

[n], [ŋ], [m]

Die .... von .... und .... befindet sich in einem alten Haus mit zwei .... wohnen im .... Die .... hat vier Zimmer und einen .... Auf dem .... stehen zwei .... Im .... gibt es einen schönen alten .... von .... Die .... ist zwar nicht mehr neu, aber sie .... noch. Im anderen .... gibt es eine .... und ein ....

Eigentumswohnung Ingo Anke Lange
Eingängen Langes linken
Eingang Wohnung
Balkon Balkon Bänke
Wohnzimmer Schrank
Ankes Oma Heizung
funktioniert
Eingang Bank
Kongressbüro

CD 2 – 59 a) Text hören und Lücken ergänzen
b) hören und halblaut mitlesen
c) vorlesen
d) Sprechen Sie über Ihr Haus / Ihre Wohnung.

Übung 10: Textarbeit (→ Übung 1)

Pausen, Akzente und Melodieverläufe

CD 2 – 53 a) Dialoge aus Übung 1 mehrmals hören, dabei Pausen, Satzakzente und Melodieverläufe vor Pausen markieren
b) hören und halblaut mitlesen
c) vorlesen, Tonaufnahme machen und mit Muster vergleichen
d) einen Dialog auswendig lernen und zu zweit vortragen

19 L-Laut

Übung 1: Einführung

Das k**l**eine Krokodi**l**

Am Ni**l** **l**ebte einst ein k**l**eines Krokodi**l**, das **L**i**l**i hieß und sehr a**ll**ein war. Keiner wo**ll**te **L**i**l**i, keiner **l**iebte Li**l**i – denn **L**i**l**i war ge**l**b. „Ich wi**ll** so sein wie a**ll**e Krokodi**l**e", sch**l**uchzte **L**i**l**i verzweife**l**t. Der Ma**l**er **L**eo, der gerade den Himme**l** ma**l**te, wusste die **L**ösung: Einen vo**ll**en Eimer he**ll**b**l**auer Farbe verteilte er auf **L**i**l**is Rücken. – Und schon strah**l**te Li**l**i in schönstem He**ll**grün. End**l**ich!

(Kerstin Reinke)

[l] entsteht in einer Enge zwischen dem seitlichen Zungenrand und den Backenzähnen

[l]	l	Ma**l**er
	ll	he**ll**

Achtung! Die Zunge darf nicht zu weit zurückgezogen werden, das deutsche L ist immer hell!

CD 2 – 60 hören und auf Markierungen achten

Übung 2: Namen und Wörter unterscheiden

2.1

[l] – [r]

Lehmann – Rehmann → Lehmann

1	Lippert	Rippert	Rippert
2	Lange	Range	Lange
3	Lohmann	Rohmann	Lohmann
4	Haller	Harrer	Harrer
5	Kell	Kerr	Kell
6	Flick	Frick	Flick
7	Kloss	Kross	Kross
8	Block	Brock	Block

CD 2 – 61 a) gehörten Namen unterstreichen
b) nachsprechen
c) Paare vorlesen
d) Reihen vorlesen
e) zu zweit üben: *A: Heißt der Maler Lehmann? / B: Nein, Rehmann ...*

2.2

[r] – [l]

→ Rand – Land

1 reiten – leiten
2 Reiter – Leiter
3 raufen – laufen
4 Rippe – Lippe

5 Reise – leise
6 Kragen – klagen
7 Bretter – Blätter
8 Gras – Glas

CD 2 – 62 a) gehörte Wortpaare aufschreiben
b) nachsprechen
c) Paare vorlesen
d) Reihen vorlesen
e) Wörter in Wortgruppen verwenden, z. B. *am Rand, in Deutschland*

Übung 3: Wir wollen ... [I]

1 Was wir alles wollen ...
2 gesund bleiben
3 glücklich sein
4 viel lachen
5 nicht allein sein
6 mit Liebe leben
7 in den Urlaub fahren
8 am Strand liegen und lesen
9 überall freundliche Leute treffen
10 mit hilfsbereiten Kollegen zusammenarbeiten

a) Wortgruppen vorlesen
b) Sätze umformulieren: *Alle wollen ...*
c) neue Beispiele mit [I] finden und zu zweit üben: *Keiner will/soll ...*

Übung 4: Wortbildung [I]

Glück → glücklich

1 Bild
2 Liebe
3 Wort
4 Freund
5 Inhalt
6 Länge
7 Zusatz
8 Ordnung
9 Nutzen
10 Oberfläche

bildlich
lieblich
wörtlich
freundlich
inhaltlich
länglich
zusätzlich
ordentlich
nützlich
oberflächlich

a) Adjektive mit *-lich* bilden
b) Paare vorlesen
c) Adjektive in Wortgruppen verwenden, z. B. *ein glücklicher Zufall*

Übung 5: Im Gegenteil [I]

Ist Paul fleißig? → Nein, faul!

1 Spielt Lisa langsam?	Nein, schnell.
2 Singt Paul das Lied leise?	Nein, laut.
3 Ist Lisas Kleid hell?	Nein, dunkel.
4 War Paul pünktlich?	Nein, unpünktlich.
5 War der Saal voll?	Nein, leer.
6 Ist Lisa glücklich?	Nein, unglücklich.
7 Waren die Leute unfreundlich?	Nein, freundlich.
8 Hat Lisa das Konzert gefallen?	Nein, (es hat ihr) nicht gefallen.

a) Antworten formulieren
b) zu zweit üben: fragen und antworten

Übung 6: Flüsse [I]

Dresden/Elbe → Dresden liegt an der Elbe.

1 Koblenz/Mosel	Koblenz liegt an der Mosel.
2 Halle/Saale	Halle liegt an der Saale.
3 Ilmenau/Ilm	Ilmenau liegt an der Ilm.
4 Havelberg/Havel	Havelberg liegt an der Havel.
5 Limburg/Lahn	Limburg liegt an der Lahn.
6 Hamburg/Elbe, Alster	Hamburg liegt an der Elbe und an der Alster.
7 Köln/Rhein	Köln liegt am Rhein.
8 Leipzig/Pleiße	Leipzig liegt an der Pleiße.
9 Zell am See / Zeller See	Zell am See liegt am Zeller See.
10 Luzern / Vierwaldstätter See	Luzern liegt am Vierwaldstätter See.

a) Sätze bilden
CD 2 – 63 b) Lösung hören und nachsprechen
c) zu zweit üben: *A: Welcher Ort liegt an der Elbe? B: ...*
d) recherchieren: andere Orte mit <l, ll> an diesen Flüssen und Seen finden

Übung 7: Pudding kochen [I]

Zutaten:
- ein halber Liter Milch
- ein Beutel Vanillepuddingpulver
- zwei Esslöffel Zucker
- etwas Salz

Zubereitung:
- 6 Esslöffel Milch in ein Glas geben
- Puddingpulver, zwei Esslöffel Zucker und Salz anrühren
- restliche Milch kochen
- angerührtes Puddingpulver in die kochende Milch gießen
- aufkochen lassen
- Pudding in kalt ausgespülte Schälchen füllen
- kalt servieren

a) Wortgruppen in Sätzen verwenden: Was braucht man für den Pudding?
b) Wortgruppen in Sätzen verwenden: Wie wird er zubereitet?

Übung 8: Schlechte Verbindung [I]

1 Hallo, Elke! Sprich lauter!
2 Was willst du?
3 Lauter! Ich hör dich ganz schlecht.
4 Seid doch mal still hier!
5 Elke, du bist zu leise!
6 Ja, wiederhol noch mal!
7 Ich soll dir helfen?
8 Leg auf, ich ruf gleich zurück.

CD 2 – 64 a) hören und ungeduldig und sehr deutlich nachsprechen
b) Telefongespräch zu zweit als Dialog führen.

Übung 9: Diktat [I]

.... ist der .... eines deutschen .... Die .... Ausgabe dieser .... erschienen im Jahre 1515. Till ...... im 14. Jahrhundert .... haben. Er war .... Witz und .... Seine .... Abenteuer, die vom .... des .... erzählen, sind bis heute ....

Till Eulenspiegel Held
Volksbuches älteste
Sammlung soll
wirklich gelebt
voller Lebensklugheit
lustigen Alltag
Volkes lebendig
geblieben

CD 2 – 65 a) Text hören und Lücken ergänzen
b) hören und halblaut mitlesen
c) vorlesen
d) recherchieren: Was können Sie noch über Eulenspiegel erfahren? (Kurzvortrag vorbereiten und halten)

Übung 10: Textarbeit (→ Übung 1) — Pausen, Akzente und Melodieverläufe

CD 2 – 60 a) Text aus Übung 1 mehrmals hören, dabei Pausen, Satzakzente und Melodieverläufe vor Pausen markieren
b) hören und halblaut mitlesen
c) vorlesen, Tonaufnahme machen und mit Muster vergleichen
d) Geschichte nacherzählen

20 Hauchlaut [h] – Vokalneueinsatz

Übung 1: Einführung

Verhört

A: Hier ist Ihr Heft, Herr Eckert.
B: Mein Heft? Nein, das gehört mir nicht.
A: Aber hier steht doch Ihr Name, Gerhard Eckert.
B: Ja, aber ich heiße Heckert, Gerhard Heckert.
A: Ach so, dann habe ich mich wohl verhört.

Mein Hut, der hat drei Ecken,
drei Ecken hat mein Hut;
und hätt' er nicht drei Ecken,
so wär' es nicht mein Hut.

CD 2 – 66 hören und auf Wort- und Silbenanfänge mit <h> und Vokal achten

Der Hauchlaut [h] wird durch ein schwaches Hauchgeräusch im Kehlkopf gebildet. Er kommt nur am Wort- und Silbenanfang vor. Der Buchstabe *h* nach einem Vokal wird nicht gesprochen, er bedeutet, dass der Vokal lang ist, z. B. in *Zahn, sehen*.

[h]	h	**H**eft

Der Vokalneueinsatz ist ein Merkmal von Vokalen und Diphthongen am Wortanfang, z.T. auch am Silbenanfang innerhalb eines Wortes (nach Präfixen, in Komposita und einigen Ausnahmewörtern). Im Gegensatz zu anlautenden Konsonanten werden Vokale und Diphthonge am Wort- und Silbenanfang nicht mit der vorangehenden Silbe bzw. dem vorangehenden Wort verbunden: *viel / enger* (im Vergleich dazu *viel_länger*). Es kommt hier zum Vokalneueinsatz, d.h. zum Neubeginn der Stimmgebung. Der Neubeginn erfolgt bei starker Akzentuierung des Vokals oft mit dem im Kehlkopf gebildeten Knacklaut ([ʔ]). Beim schnellen, ungespannten Sprechen kann der Vokaleinsatz ausfallen, die Vokale werden dann mit den vorangegangenen Lauten verbunden.

Übung 2: Wörter unterscheiden

2.1

und – Hund → und

			[h] – Vokalneueinsatz [ʔ]
1	in	hin	hin
2	alt	halt	alt
3	Art	hart	hart
4	eilen	heilen	heilen
5	Ende	Hände	Ende
6	an der Ecke	an der Hecke	an der Ecke
7	die Elfte	die Hälfte	die Hälfte
8	das ist Eis	das ist heiß	das ist heiß

CD 2 – 67 a) gehörtes Beispiel unterstreichen
b) nachsprechen

c) Paare vorlesen
d) Reihen vorlesen
e) beide Beispiele in einem Satz verwenden, z. B.
Herr Heckert hat einen Hund und eine Katze.

2.2	mit und ohne Vokalneueinsatz [ʔ]

von Nina – von Ina → <u>von Ina</u>

1	Essig	ess ich	Essig
2	im Mai	im Ei	im Mai
3	beim Messen	beim Essen	beim Essen
4	viel länger	viel enger	viel enger
5	Bettdecke	Bettecke	Bettdecke
6	Schwarzwaldtour	Schwarzwalduhr	Schwarzwalduhr
7	in Nollendorf	in Ollendorf	in Nollendorf
8	Wiener Leben	Wien erleben	Wien erleben

CD 2 – 68 a) gehörtes Beispiel unterstreichen
b) nachsprechen
c) Paare vorlesen
d) Reihen vorlesen
e) beide Beispiele in einem Satz verwenden, z. B.
Die Karte ist von Ina, nicht von Nina.

Übung 3: So und so

[h], Vokalneueinsatz [ʔ]

1 halb und halb
2 hier und heute
3 hin und her
4 herauf und herunter
5 Haus und Hof
6 von Haus zu Haus
7 Hand in Hand
8 von Hand zu Hand
9 mit Haut und Haar
10 helfen und heilen

a) vorlesen
b) Wortgruppen in Sätzen verwenden

Übung 4: Wortbildung

4.1 Substantive

[h]

frei → die Freiheit

1	wahr	die Wahrheit
2	krank	die Krankheit

3 klar	die Klarheit
4 klug	die Klugheit
5 gesund	die Gesundheit
6 sicher	die Sicherheit
7 vergangen	die Vergangenheit
8 gewöhnlich	die Gewohnheit

a) Substantive mit *-heit* bilden
b) vorlesen
c) Wörter in Sätzen verwenden, z. B. *Ich brauche meine Freiheit.*
d) weitere Substantive mit *-heit* bilden

4.2 Adjektive

[h]

hoch → höher, am höchsten

1 hell	heller, am hellsten
2 heiß	heißer, am heißesten
3 höflich	höflicher, am höflichsten
4 herzlich	herzlicher, am herzlichsten
5 häufig	häufiger, am häufigsten
6 hungrig	hungriger, am hungrigsten
7 herrlich	herrlicher, am herrlichsten
8 hässlich	hässlicher, am hässlichsten

a) Steigerungsformen bilden
b) alle drei Formen vorlesen
c) alle drei Formen in Sätzen verwenden, z. B. *Das Haus ist hoch, das Hochhaus ist höher, der Wolkenkratzer ist am höchsten.*

4.3 Partizipien

Vokalneueinsatz [ʔ] nach Vokal

ehren → geehrt

1 üben	geübt
2 öffnen	geöffnet
3 ordnen	geordnet
4 achten	geachtet
5 ändern	geändert
6 arbeiten	gearbeitet
7 antworten	geantwortet
8 urteilen	geurteilt

a) Partizipien bilden
b) Paare vorlesen
c) Reihen vorlesen
d) Partizipien in Sätzen verwenden, z. B. *Der Erfinder wird öffentlich geehrt.*

Übung 5: Aufforderungen

[h], Vokalneueinsatz [ʔ]

herkommen → Komm her!

1	hersehen	Sieh her!
2	hinsehen	Sieh hin!
3	herhören	Hör her!
4	aufhören	Hör auf!
5	hinlaufen	Lauf hin!
6	anhalten	Halt an!
7	anfangen	Fang an!
8	auffangen	Fang auf!
9	aufheben	Heb auf!
10	hierbleiben	Bleib hier!

a) Imperative bilden

CD 2 – 69 b) Lösung hören und energisch nachsprechen

c) Paare vorlesen

d) Reihen vorlesen

e) zu zweit üben: energische Aufforderungen an den Partner richten und mit Geste begleiten, z. B. *Komm her!* (Handgeste machen)

f) Aufforderungen jetzt freundlicher sprechen, und mit Gesten begleiten, z. B. *Komm bitte her. /Komm bitte mal her. /Komm doch bitte mal her.*

Übung 6: Haltestellen der Straßenbahn

[h]

1	Hansering
2	Hölderlinplatz
3	Hauptbahnhof
4	Heinrich-Heine-Platz
5	Holzhäuserstraße
6	Beethovenhain
7	Hermann-Hesse-Weg
8	Gerhart-Hauptmann-Straße
9	Am Ehrenfriedhof
10	Hildburghausener Allee

CD 2 – 70 a) Haltestellen hören und aufschreiben

b) nachsprechen

c) zu zweit üben, z. B. *A: Wohin wollen Sie? /B: Zum Hansering.*

d) andere Straßennamen mit *h* aus dem Stadtplan suchen und damit weiter üben

Übung 7: Anne arbeitet

[h], Vokalneueinsatz [ʔ]

1 viele Aufgaben erledigen
2 Mails beantworten
3 Mitarbeiter informieren
4 Informationen aushängen
5 Abteilungsleiter anrufen
6 an Abgabetermine erinnern
7 Gutachten ansehen
8 Aushilfskräfte einarbeiten
9 Arbeitsplatz aufräumen
10 Urlaub beantragen

a) Wortgruppen vorlesen
b) Wortgruppen in Sätzen verwenden, z. B. *Anne muss viele Aufgaben erledigen.*
c) Sätze mit *ich* bilden, z. B. *Ich muss viele Aufgaben erledigen.*

Übung 8: Nach einem Unfall auf der Straße

[h], Vokalneueinsatz [ʔ]

1 Hallo! Hierher!
2 Hilfe! Helfen Sie uns!
3 Halten Sie an!
4 Halten Sie doch bitte an!
5 Hat sich jemand verletzt?
6 Ein Arzt muss her!
7 Hier hilft nur Abschleppen!
8 Alles hinüber.

CD 2 – 71 a) hören und energisch nachsprechen
b) Ausrufe zu zweit abwechselnd sprechen – dabei energischer und lauter werden

Übung 9: Diktat

[h], Vokalneueinsatz [ʔ]

Auf der .... besuchen viele .... die ....-Gedenkstätte. Sie .... an .... Dramatiker und .... , der 1912 den Nobelpreis .... Zu den .... dieses .... die Dramen „Vor ....“, „Der ....“ und „Fuhrmann ....“.

Insel Hiddensee Urlauber
auch Gerhart-Hauptmann
erinnert einen hervorragenden
Erzähler
erhielt Hauptwerken Autors
gehören Sonnenaufgang
arme Heinrich Henschel

CD 2 – 72 a) Text hören und Lücken ergänzen
b) halblaut mitlesen
c) vorlesen
d) recherchieren: Was können Sie noch über Gerhart Hauptmann erfahren? (Kurzvortrag vorbereiten und halten)

Übung 10: Textarbeit (→ Übung 1)

Pausen, Akzente und Melodieverläufe

CD 2 – 66 a) Texte aus Übung 1 mehrmals hören, dabei Pausen, Satzakzente und Melodieverläufe vor Pausen markieren
b) hören und halblaut mitlesen
c) vorlesen, Tonaufnahme machen und mit Muster vergleichen
d) einen Text auswendig lernen und vortragen

21 Konsonantenverbindungen

Übung 1: Einführung

In dem Zwergberg
sitzt der Bergzwerg,
und er sehnt sich jedes Jahr
nach dem Strandsand
fern am Sandstrand,
wo er mal auf Urlaub war.

(Franz Fühmann)

Das Hexen-Einmaleins

Du musst verstehn!
Aus Eins mach Zehn,
Und Zwei lass gehn,
Und Drei mach gleich,
So bist du reich.
Verlier die Vier!
Aus Fünf und Sechs –
So sagt die Hex –
Mach Sieben und Acht,
So ist's vollbracht:
Und Neun ist Eins,
Und Zehn ist keins,
Das ist das Hexen-Einmaleins!

(Johann Wolfgang von Goethe)

CD 2 – 73 hören und auf Markierungen achten

[ks kv pf ts] sind Konsonantenverbindungen, die als Einheit artikuliert werden. Sie werden zum Teil mit nur einem Buchstaben wiedergegeben.

[ks]	x	Te**x**t
	ks	lin**ks**
	gs	du sa**gs**t
	chs	wa**chs**en
[kv̥]	qu	**Qu**adrat
[pf]	pf	A**pf**el
[ts]	z	**z**ehn
	tz	Pla**tz**
	ts	rech**ts**
	-ti(on)	Lek**ti**on
	zz	Pi**zz**a

Im Deutschen können aber innerhalb einer Silbe auch mehr als zwei – am Silbenanfang bis zu drei (z. B. *sprechen*), am Silbenende bis zu fünf (z. B. *schimpfst*), an Wort- und Silbengrenzen bis zu acht Konsonanten (z. B. *du bekämpfst Strukturfehler*) aufeinander folgen.

Alle Konsonanten dieser Verbindungen müssen gesprochen werden, keiner darf wegfallen, und es dürfen keine Vokale dazwischengeschoben, vorangestellt oder angehängt werden.

Übung 2: Namen und Wörter unterscheiden

2.1

[f] – [p] – [pf]

Kaff – Kapp – Kapf → Kaff

1	Riffel	Rippel	Ripfel	Rippel
2	Griffel	Grippel	Gripfel	Gripfel
3	Kräffel	Kräppel	Kräpfel	Kräpfel
4	Hoffmann	Hoppmann	Hopfmann	Hoppmann
5	Hoffenstedt	Hoppenstedt	Hopfenstedt	Hoffenstedt

6	Liffner	Lippner	Lipfner	Lipfner
7	Töffler	Töppler	Töpfler	Töppler
8	Defke	Depke	Depfke	Defke

CD 2 – 74 a) gehörtes Beispiel unterstreichen
b) nachsprechen
c) Reihen vorlesen
d) Zeilen vorlesen
e) zu zweit üben: *A: Heißt der Sprecher Kapp? / B: Nein, Kapf. ...*

2.2 [s/z] – [ts] / [t] – [ts]

reisen – reizen → reisen

1	reißen	reizen	reizen
2	Kasse	Katze	Kasse
3	so	Zoo	Zoo
4	Kurs	kurz	kurz
5	Kurt	kurz	Kurt
6	müssen	Mützen	müssen
7	satt	Satz	Satz
8	reiten	reizen	reizen
9	Tee	Zeh	Tee
10	Teile	Zeile	Zeile

CD 2 – 75 a) gehörtes Wort unterstreichen
b) nachsprechen
c) vorlesen
d) Beispiele mit [ts] in Wortgruppen verwenden, z. B. *jemanden reizen, ...*

2.3 [s] – [ks]

passt – packst → passt

1	fliehst	fliegst	fliegst
2	liest	liegst	liest
3	Hessen	Hexen	Hexen
4	das	Dachs	das
5	Test	Text	Test
6	West	wächst	wächst
7	alles	Alex	alles
8	Fuß	Fuchs	Fuchs

CD 2 – 76 a) gehörtes Wort unterstreichen
b) nachsprechen
c) Paare vorlesen
d) Reihen vorlesen

e) Beispiele mit [ks] in Sätzen verwenden, z. B.
Du packst deine Sachen? ...

2.4 — Konsonantenhäufungen

Eis – eins – einst → ~~eins~~

1	ehrt	erst	ernst	ernst
2	schreist	schreibt	schreibst	schreist
3	fällt	Fels	fällst	Fels
4	reicht	reist	reichst	reicht
5	herb	Herz	Herbst	Herz
6	Mars	Mark	Marx	Marx
7	kauft	kaust	kaufst	kaust
8	warst	warnt	warnst	warnt

CD 2 – 77 a) nicht gehörtes Wort durchstreichen
b) nachsprechen
c) alle drei Wörter vorlesen
d) je zwei Wörter in Sätzen verwenden, z. B.
Einst aß ich ein Eis.

Übung 3: Wortgruppen und Sätze

3.1 Äpfel — [pf]

1 einen Apfelbaum pflanzen
2 den Apfelbaum gießen und pflegen
3 auf den Apfelbaum steigen
4 Äpfel pflücken
5 einen Apfel essen
6 einen Topf Apfelmus kochen
7 Apfelkuchen backen
8 Apfelsaft trinken

a) Wortgruppen vorlesen
b) Wortgruppen in Sätzen verwenden

3.2 Keine Zeit für nichts — [ts]

keine Zeit ...

1	zum Witzeerzählen
2	für den Zahnarzt
3	zum Pilzesammeln
4	für Zuckerplätzchen
5	für das Zeitzer Schloss
6	zum Zeitunglesen

7 für den Tanzzirkel
8 für Zukunftsmusik

CD 2 – 78 a) Wortgruppen hören und nachsprechen
b) vorlesen
c) Wortgruppen in Sätzen verwenden
d) zu zweit üben: *Wofür haben Sie keine Zeit?*

3.3 Max

[ks]

1 kommt aus Sachsen
2 ist sechsundzwanzig
3 boxt im Boxklub
4 spricht nicht nur sächsisch
5 sammelt Saxophone
6 arbeitet in einer sächsischen Exportfirma
7 ist als Experte viel unterwegs
8 fliegt nach Mexiko, Luxemburg und Texas

CD 2 – 79 a) Sätze hören und nachsprechen
b) vorlesen
c) über Max sprechen

3.4 Lautmalerei

[kv̥]

1	quaken	Die Frösche quaken.
2	quasseln	Der Redner quasselt.
3	quarren	Die Enten quarren.
4	quengeln	Das Kind quengelt.
5	quieken	Das Schwein quiekt.
6	quietschen	Die Reifen quietschen.

a) Verben kombinieren mit: *Kind, Schwein, Redner, Enten, Reifen, Frösche*
CD 2 – 80 b) Lösung hören und nachsprechen
c) Sätze vorlesen

3.5 Beim Arzt

Konsonantenhäufungen

1 Sprechstunde beim Arzt
2 starke Kopfschmerzen
3 oft starkes Herzstechen
4 dreimal täglich Herztropfen
5 immer noch Zahnschmerzen
6 schlimme Halsschmerzen
7 manchmal Bauchschmerzen
8 bitte Schmerztabletten

CD 2 – 81 a) Wortgruppen hören und aufschreiben
b) nachsprechen
c) vorlesen
d) Wortgruppen in Sätzen verwenden
e) zu zweit üben (Arzt – Patient)

Übung 4: Grammatik und Wortbildung

4.1 Verben

Konsonantenhäufungen

(er) lebt → (du) lebst

1	schreibt	schreibst
2	spricht	sprichst
3	kauft	kaufst
4	hilft	hilfst
5	lernt	lernst
6	trinkt	trinkst
7	folgt	folgst
8	kämpft	kämpfst
9	schimpft	schimpfst
10	läuft	läufst

a) 2. Person Singular ergänzen
CD 2 – 82 b) Paare hören und nachsprechen
c) Paare vorlesen
d) Reihen vorlesen
e) Beispiele in Sätzen verwenden, z. B. *Du lebst allein?*

4.2 Adjektive

Konsonantenhäufungen

schön → am schönsten

1	reich	am reichsten
2	klug	am klügsten
3	stark	am stärksten
4	lieb	am liebsten
5	fleißig	am fleißigsten
6	herzlich	am herzlichsten
7	herrlich	am herrlichsten
8	hässlich	am hässlichsten

a) Superlativ bilden
CD 2 – 83 b) Lösung hören und nachsprechen
c) Superlativ in Sätzen verwenden, z. B. *Miss Universum ist am schönsten.*

4.3 Komposita

[kv̥]

der Kopf → der Querkopf

1	die Straße	die Querstraße
2	der Schnitt	der Querschnitt
3	der Streifen	der Querstreifen
4	die Summe	die Quersumme
5	die Verbindung	die Querverbindung
6	der Strich	der Querstrich
7	der Weg	der Querweg
8	die Pfeife	die Querpfeife

a) Komposita mit *Quer-* bilden
b) vorlesen
c) Recherchieren: Was bedeuten diese Wörter?

Übung 5: Zahlen

Konsonantenhäufungen

11 → der elfte

1	5	der fünfte
2	6	der sechste
3	12	der zwölfte
4	18	der achtzehnte
5	22	der zweiundzwanzigste
6	66	der sechsundsechzigste
7	78	der achtundsiebzigste
8	82	der zweiundachtzigste
9	92	der zweiundneunzigste
10	96	der sechsundneunzigste

a) Ordnungszahl ergänzen
CD 2 – 84 b) Lösung hören und nachsprechen
c) Ordnungszahlen in Wortgruppen verwenden z. B. *der elfte März*

Übung 6: Adressen

Konsonantenhäufungen

Müller: → am Marktplatz 2

1	Schmidt:	in der Parkstraße 99
2	Schulze:	in der Poststraße 35
3	Speck:	in der Salzstraße 63
4	Pilz:	am Lorenzplatz 28
5	Bartsch:	im Hauptweg 16
6	Kraatzsch:	in der Reichsstraße 42
7	Spreidel:	in der Springerstraße 22
8	Klampf:	in der Zentralstraße 56

CD 2 – 85 a) hören und Adresse notieren
b) nachsprechen
c) Sätze bilden: *Familie ... wohnt in ...*

Übung 7: Zungenbrecher

Konsonantenhäufungen

1 Der Potsdamer Postkutscher putzt den Potsdamer Postkutschkasten.

2 Fischers Fritz fischt frische Fische – frische Fische fischt Fischers Fritz.

3 Zehn Zeitzer Ziegen zogen zehn Zentner Zeitzer Zucker zum Zug.

4 Ein französischer Regisseur inszenierte ein tschechisches Stück. Ein tschechischer Regisseur inszenierte ein französisches Schauspiel.

CD 2 – 86 a) mehrmals hören und halblaut mitlesen
b) vorlesen, immer schneller werden

Übung 8: Emotionale Sprechweise

8.1 Widerspruch

Konsonantenhäufungen

Du sagst immer ja. → Und du sagst immer nein.

1	Du sprichst zu viel.	Und du sprichst zu wenig.
2	Du fragst zu wenig.	Und du fragst zu viel.
3	Du schweigst nie.	Und du schweigst immer.
4	Du bewegst dich zu wenig.	Und du bewegst dich zu viel.
5	Du verschenkst nie etwas.	Und du verschenkst alles.
6	Du trinkst zu viel.	Und du trinkst zu wenig.
7	Du denkst zu wenig.	Und du denkst zu viel.
8	Du denkst immer nur an dich.	Und du denkst immer nur an dich.

CD 2 – 87 a) Dialog hören und gereizt mit- oder nachsprechen
b) zu zweit üben, z. B. *A: Du sagst immer ja. / B: Und du sagst immer nein.*

8.2 Vorwürfe

Konsonantenhäufungen

1 Jetzt hörst du mir mal zu.
2 Was denkst du dir eigentlich?
3 Du hast nichts verstanden, überhaupt nichts.
4 So geht's nicht weiter!
5 Warum sagst du eigentlich nichts?

6 Du machst einfach, was du willst.
7 Du sagst nichts. Du fragst nichts.
8 Am besten, du bleibst das nächste Mal zu Hause.

CD 2 – 88 a) hören und mitlesen
b) hören und ärgerlich nachsprechen
c) eine Situation ausdenken und zu zweit üben, B reagiert, z. B. *A: Jetzt hörst du mir mal zu. Was denkst du dir eigentlich?/B: Ach, ich denke gar nichts.*

8.3 Freundliche Begegnung

Konsonantenhäufungen

1 Ach, du bist's – lange nicht gesehn.
2 Hast du ein bisschen Zeit?
3 Mensch, siehst du gut aus.
4 Setz dich doch!
5 Du bleibst doch ein Viertelstündchen, ja?
6 Trinkst du einen Kaffee?
7 Willst du ein Stück Quarkkuchen?
8 Warst du in der letzten Zeit verreist?

CD 2 – 89 a) hören und freundlich nachsprechen
b) zu zweit üben, B reagiert, z. B. *A: Ach, du bist's – lange nicht gesehn! – B: Ja, das stimmt, ich ....*
c) Unterhaltung weiterführen

Übung 9: Diktat

Konsonantenhäufungen

.... befindet sich im .... Deutschlands, seine .... ist Kiel. Auf .... wohnen rund 2 $^1/_2$ Millionen Menschen. Damit liegt die .... unter dem .... anderer deutscher Länder. Viele .... und Touristen reisen in die für Norddeutschland typische .... Sie besuchen die .... Inseln, die Buchten der .... oder die Holsteinische ....

Schleswig-Holstein Nordwesten
Hauptstadt 5678
Quadratkilometern
Bevölkerungsdichte
Durchschnitt
Erholungssuchende
Landschaft
Nordfriesischen
Ostsee Schweiz

CD 2 – 90 a) Text hören und Lücken ergänzen
b) hören und halblaut mitlesen
c) vorlesen
d) recherchieren: Was können Sie noch über Schleswig-Holstein erfahren? (Kurzvortrag vorbereiten und halten)

Übung 10: Textarbeit (→ Übung 1)

Pausen, Akzente und Melodieverläufe

CD 2 – 73 a) Gedicht aus Übung 1 mehrmals hören, dabei Pausen, Wortgruppenakzente und Melodieverläufe vor Pausen markieren

b) hören und halblaut mitlesen

c) vorlesen, Tonaufnahme machen und mit Muster vergleichen

d) ein Gedicht auswendig lernen und vortragen

22 Assimilationen (Entstimmlichung von Konsonanten)

Übung 1: Einführung

Ein traurige*s B*uch

A: Du siehst so traurig aus, Hans-Dieter?
B: Ich hab auch gerade ein trauriges Buch gelesen.
A: Was denn für eins?
B: Mein Sparbuch.

Bewaffneter Friede

Ganz unverhofft an einem Hügel
sind sich begegnet Fuchs und Igel.
„Halt", rief der Fuchs, „du Bösewicht!
Kennst du des Königs Order nicht?
Ist nicht der Friede längst verkündigt,
und weißt du nicht, dass jeder sündigt,
der immer noch gerüstet geht?
Im Namen seiner Majestät
geh her und übergib dein Fell."
Der Igel sprach: "Nur nicht so schnell.
Lass dir erst deine Zähne brechen,
dann wollen wir uns weiter sprechen!"
Und allsogleich macht er sich rund,
schließt seinen dichten Stachelbund
und trotzt getrost der ganzen Welt,
bewaffnet, doch als Friedensheld.

(Wilhelm Busch)

CD 2 – 91 hören und auf Markierungen achten

Aufeinanderfolgende Laute beeinflussen sich gegenseitig zum Teil sehr stark, sodass sich ihre phonetischen Merkmale hörbar ändern. Das betrifft auch die Stimmlosigkeitsassimilation, eine für das Standarddeutsche typische Erscheinung an Wort- und Silbengrenzen. Konsonanten mit kräftigem Geräusch (Fortiskonsonanten) übertragen ihre Stimmlosigkeit und zum Teil ihre Geräuschstärke auf nachfolgende Konsonanten mit schwachem Geräusch (Leniskonsonanten).

So entstehen folgende Allophone, die die Merkmale lenis + stimmlos tragen:

[b̥]	mit**b**ringen
[d̥]	Hans-**D**ieter
[g̊]	mit**g**ehen
[v̥]	ab**w**arten, q**u**er
[z̥]	weg**s**ehen
[ʒ̊]	Musik**j**ournal
[j̊]	dass **j**eder
[r̥]	F**r**ieden

Ein besonderer Fall ist das Zusammentreffen von Fortis- und Leniskonsonanten an Wort- und Silbengrenzen, die an der gleichen Stelle gebildet werden. Hier wird nur ein – stimmloser – Konsonant gesprochen, z. B. in *ab Berlin, kennst du, weggehen, schiefwinklig, aussehen, Kirschgelee, Herr Reuter.*

Übung 2: Laute unterscheiden

(lenis +) stimmhaft – (lenis +) stimmlos

	stimmhaft	stimmlos	stimmhaft	stimmlos
Weinbeeren	x			
1 Himbeeren			x	
2 Erdbeeren				x
3 Gemüsegarten			x	
4 Obstgarten				x
5 Fruchtsaft				x

6	Apfelsaft	x	
7	Vollkornbrot	x	
8	Weißbrot		x
9	Kirschgelee		x
10	Orangengelee	x	

CD 2 – 92 a) hören und markieren
b) nachsprechen
c) vorlesen
d) zu zweit üben: *A: Isst du (trinkst du) gern ... ? / B: Nein, ... esse (trinke) ich nicht gern* oder *Ja, ... esse (trinke) ich sehr gern.*

Übung 3: Stimmt das so?

Entstimmlichung

sich eine Mütze aufsetzen / aussetzen
→ sich eine Mütze aufsetzen

1	den Koffer aufsetzen / absetzen	absetzen
2	das Gedicht aufsagen / absagen	aufsagen
3	die Schuhe aufbinden / abbinden	aufbinden
4	gemeinsam aufgehen / ausgehen	ausgehen
5	aus Berlin gehen / kommen	aus Berlin kommen
6	nach dir rufen / aus dir rufen	nach dir rufen
7	sich aus dem Weg gehen / fahren	sich aus dem Weg gehen
8	mit dem Schiff reisen / aus dem Schiff reisen	mit dem Schiff reisen

a) Welche Form stimmt?
CD 2 – 93 b) Lösung hören
c) Lösung vorlesen
d) Wortgruppen in Sätzen verwenden, z. B. *Du musst dir unbedingt eine Mütze aufsetzen.*

Übung 4: Wortbildung

4.1 Komposita mit *-buch*

Entstimmlichung

Fach → das Fachbuch

1	Mathematik	das Mathematikbuch
2	Kurs	das Kursbuch
3	Notiz	das Notizbuch
4	Übung	das Übungsbuch
5	kochen	das Kochbuch
6	backen	das Backbuch
7	Geschichte	das Geschichtsbuch
8	Gesetz	das Gesetzbuch

a) Komposita mit dem Grundwort *-buch* bilden, entstimmlichte Konsonanten unterstreichen
b) Komposita vorlesen, auf den Wortakzent achten
c) Komposita in Fragen verwenden, z. B. *Kaufst du dir ein Fachbuch?*

4.2 Verben mit *an-* und *aus-*

stimmhaft, stimmlos

gehen → angehen, angegangen, ausgehen, ausgegangen

1	bauen	anbauen, angebaut, ausbauen, ausgebaut
2	geben	angeben, angegeben, ausgeben, ausgegeben
3	bleiben	anbleiben, angeblieben, ausbleiben, ausgeblieben
4	brennen	anbrennen, angebrannt, ausbrennen, ausgebrannt
5	sagen	ansagen, angesagt, aussagen, ausgesagt
6	sehen	ansehen, angesehen, aussehen, ausgesehen

a) Verbformen mit den Präfixen *an-* und *aus-* bilden
b) Verbformen vorlesen
c) Verbformen mit *aus-* in Sätzen verwenden, z. B. *Die jungen Leute wollen ausgehen / sind ausgegangen.*

4.3 Quer

[kv̥], [v̥] entstimmlicht

1 die Querstraße
2 der Querschnitt
3 der Querstreifen
4 die Quersumme
5 die Querverbindung
6 der Querstrich
7 kreuz und quer
8 eine Straße überqueren

CD 2 – 94 a) Beispiele hören und nachsprechen
b) vorlesen
c) Wörter in Wortgruppen verwenden

4.4 Substantive auf *-ismus*

[s] in *-ismus* nicht stimmhaft sprechen (regressive Assimilation)

der Optimist → der Optimismus

1 der Idealist
2 der Humanist
3 der Materialist
4 der Realist
5 der Journalist
6 der Pessimist

der Idealismus
der Humanismus
der Materialismus
der Realismus
der Journalismus
der Pessimismus

a) Substantive auf *-ismus* bilden und sprechen
CD 2 – 95 b) Lösung hören und nachsprechen, auf den Wortakzent achten
c) Wörter erklären, z. B. *Ein Optimist ist ein Mensch, der meistens glücklich ist.*

Übung 5: Wendungen

Entstimmlichung

schön und .... → schön und gut

1 hin und ....
2 durch dick und ....
3 Samt und ....
4 Pfeil und ....
5 schön und ....
6 hier und ....
7 Glück und ....
8 gut und ....

wieder
dünn
Seide
Bogen
gut
dort
Glas
gern

a) Wendung ergänzen: *Bogen, dünn, dort, gern, Glas, gut, Seide, wieder*
b) Wendungen vorlesen
c) recherchieren und Wendungen erklären

Übung 6: Das glaub ich nicht

gleiche Konsonanten

Klaus / Gespenster sehen → Klaus sieht Gespenster? Nicht zu glauben!

1 Sepp / auspacken
2 Harald / Apfelessig trinken
3 Grit / sich mit dem Papst treffen
4 Frank / sich einen Hometrainer kaufen
5 Olaf / aus der Haut fahren
6 Hans / in einer Band singen
6 Janosch / sich ein Fahrrad anschaffen
7 Lothar / nicht mehr rauchen

a) Äußerungen formulieren
CD 2 – 96 b) Lösungen hören und nachsprechen
c) zu zweit üben, z. B. *A: Klaus sieht Gespenster. B: Klaus sieht Gespenster? Nicht zu glauben!*

Übung 7: Auf großem Fuße leben

Entstimmlichung

1 viel Geld ausgeben
2 täglich ausgehen
3 ein Privatflugzeug besitzen
4 Weltreisen machen
5 Kunstwerke sammeln
6 exquisit gekleidet sein
7 kostbaren Schmuck kaufen
8 sich ein Schloss bauen lassen

a) Wortgruppen vorlesen
b) Kennen Sie jemanden, auf den diese Aussage passt? Wortgeländer benutzen und erzählen

Übung 8: Nachfragen

Entstimmlichung

8.1 Ärgerliche Nachfragen

Leg das Buch weg! → Hast du endlich das Buch weggelegt?

1 Mach das Radio aus!
2 Schalt den Fernseher aus!
3 Pack die Sachen in den Schrank!
4 Stell das Bügeleisen weg!
5 Leg das Buch ins Regal!
6 Hol die Post hoch!
7 Räum den Tisch ab!
8 Mach das Fenster auf!

a) Nachfragen bilden
CD 2 – 97 b) Lösung hören und ärgerlich nachsprechen
c) Nachfrage vorlesen

8.2 Interessierte Nachfragen

Ich fahre nach Berlin. – Brandenburger Tor
→ Nach Berlin? Willst du da auch das Brandenburger Tor besichtigen?

1 Ich fahre nach Dessau. – Bauhaus
2 Ich fahre nach Goslar. – Kaiserpfalz

3 Ich fahre nach Suhl. – Waffenmuseum
4 Ich fahre nach Hamburg. – Fischmarkt
5 Ich fahre nach Warnemünde. – Alter Hafen
6 Ich fahre nach Weimar. – Goethehaus

a) Nachfragen bilden
CD 2 – 98 b) Fragen hören und interessiert nachsprechen
c) zu zweit üben: fragen und antworten

Übung 9: Diktat

Assimilationen

Dresden bietet .... in vielerlei Gestalt. Von einer der .... aus betrachtet, ... Dresden schon auf den ersten Blick .... Kulturstadt. .... Uferpromenaden, Bauten aus der .... und .... Barock, ... Museen und .... und viele .... Details prägen .... Stadt. Links der Elbe befindet sich das .... Dresdens. Nach der schweren .... im Zweiten .... Dresdner Altstadt .... wie früher.

Dresden bietet Sehenswertes in vielerlei Gestalt. Von einer der Elbbrücken aus betrachtet, zeigt sich Dresden schon auf den ersten Blick als bedeutende Kulturstadt. Prachtvolle Uferpromenaden, Bauten aus der Renaissance und aus dem Barock, bemerkenswerte Museen und Kunstsammlungen und viele liebenswerte Details prägen das Bild der Stadt. Links der Elbe befindet sich das historische Zentrum Dresdens. Nach der schweren Zerstörung im Zweiten Weltkrieg ist die Dresdner Altstadt jetzt so reizvoll wie früher.

CD 2 – 99 a) Text hören und Lücken ergänzen
b) Assimilationen markieren
c) halblaut mitlesen
d) vorlesen
e) recherchieren: Was können Sie über die Dresdner Kunstsammlungen erfahren? (Kurzvortrag vorbereiten und halten)

Übung 10: Textarbeit (→ Übung 1)

Pausen, Akzente und Melodieverläufe

CD 2 – 91 a) Texte aus Übung 1 mehrmals hören, dabei Pausen, Akzente und Melodieverläufe vor Pausen markieren
b) hören und halblaut mitlesen
c) vorlesen, Tonaufnahme machen und mit Muster vergleichen
d) Gedicht auswendig lernen und vortragen, Dialog spielen

Überblick über die phonetischen Grundlagen

Einführung

Zu den phonetischen Mitteln einer Sprache zählen vor allem die Melodieverläufe, die Akzentuierungen und die Laute. Jede Sprache hat ihre eigenen phonetischen Mittel. Das bedeutet: Die phonetischen Mittel einer Fremdsprache unterscheiden sich **immer** und **in vielen Punkten** von den Mitteln der Muttersprache. Will man sich in einer Fremdsprache verständigen, so reicht es also nicht aus, fremde Wörter und grammatische Regeln zu lernen. Auch die fremden Laute und die fremde Aussprache von Wortgruppen oder längeren Äußerungen müssen geübt werden. Eine möglichst gute Beherrschung der fremden phonetischen Mittel ist also genauso wichtig wie die Kenntnis des Wortschatzes, der für die Kommunikation gebraucht wird.

In unserem Buch stellen wir systematisch die phonetischen Mittel des Deutschen dar. Deshalb behandeln wir beispielsweise nicht nur die einzelnen Vokale und Konsonanten, sondern auch Lautverbindungen, die für viele Deutschlernende schwierig sind. An der Spitze stehen drei Lektionen zur Intonation, in denen Akzentuierung, Rhythmisierung, Pausierung und Melodisierung behandelt werden:
1. die Wortakzentuierung,
2. die Wortgruppenakzentuierung und Rhythmisierung,
3. die Pausierung und Melodisierung.

Die phonetischen Mittel, die hierfür gebraucht werden, heißen intonatorische bzw. prosodische Mittel, es handelt sich um Tonhöhen-, Lautheits- und Tempovariationen, mit denen der Redefluss akzentuiert, melodisiert, gegliedert und rhythmisch gestaltet wird.
Es hat sich gezeigt, dass eine ungenügende rhythmische oder melodische Gestaltung von Wortgruppen und Äußerungen stärker stört als die unkorrekte Aussprache einzelner Laute. Man muss also zuerst die intonatorischen Formen üben. Die Intonation ist für alles andere die Grundlage. Sie muss bei den Übungen zu den Vokalen und Konsonanten immer bewusst und möglichst richtig angewendet werden.

Jede Lektion enthält kurze Erklärungen und Ausspracheregeln. Diese Angaben werden hier ergänzt. Wir folgen dabei – nach einer kurzen Einführung zur Standardaussprache – der Gliederung in Intonation, Vokale und Konsonanten und geben einen Überblick.

1 Deutsche Sprache und Standardaussprache

Das Deutsche wird in der Bundesrepublik Deutschland, in Österreich, der Schweiz und Liechtenstein als Amtssprache verwendet. Außerdem gibt es in Osteuropa, Amerika und Australien große Bevölkerungsgruppen, in denen Deutsch als erste oder zweite Muttersprache gesprochen wird. Trotz dieser Verbreitung in mehreren Staaten hat das Deutsche eine weitgehend einheitliche überregionale Schriftsprache, die in der Öffentlichkeit gesprochen und geschrieben gebraucht und in den Schulen als Standard mit normierter Grammatik und Rechtschreibung vermittelt wird. Die Aussprache dagegen weist große Unterschiede auf. In der Bundesrepublik Deutschland gibt es eine allgemein anerkannte Aussprache, die als

Standardaussprache bezeichnet wird. Auch in Österreich und in der Schweiz bestehen solche Ausspracheformen. Sie weichen aber von denen der Bundesrepublik in einigen Punkten ab. Die bundesdeutsche Standardaussprache hat in Deutschland ein hohes Ansehen. Sie wird überall verstanden. Wer sie spricht, gilt als kultiviert und gebildet. Im Rundfunk, im Fernsehen, im Theater, in der Schule und in verschiedenen anderen Bereichen wird sie als angemessene Ausspracheform in allen deutschsprachigen Regionen erwartet und gefordert. Im Alltag aber wird vielfach eine der großräumig verbreiteten Umgangssprachen gesprochen. In der Bundesrepublik gibt es etwa 18 solche landschaftsgebundenen Umgangssprachen, so die mecklenburgische Umgangssprache in Mecklenburg-Vorpommern, die obersächsische Umgangssprache in Sachsen und Sachsen/Anhalt, die schwäbische Umgangssprache in Baden-Württemberg usw. In jeder dieser Umgangssprachen ist die Schriftsprache mit den ursprünglichen Dialekten der betreffenden Landschaft eine besondere Verbindung eingegangen. Die Schriftsprache verdrängte nach und nach die Dialekte aus dem mündlichen Verkehr, nahm dabei aber einige von deren Ausdrucksformen in sich auf. Das betraf vor allem die phonetischen Mittel. So entstanden neben der verhältnismäßig einheitlichen Schriftsprache mehrere „großlandschaftliche“ Umgangssprachen.

Wegen der dialektalen Einflüsse verstehen Deutschlernende eine Umgangssprache meist schlechter als die Standardaussprache. Sie sollten phonetische Mittel der Umgangssprache nur dann selbst verwenden, wenn sie sie perfekt beherrschen. Es entsteht sonst ein Lautgemisch, das auf Muttersprachler befremdlich wirkt.

Unser Buch vermittelt nur die in der Bundesrepublik Deutschland anerkannte Standardaussprache. Diese ist aber keine starre Ausspracheform. Sie kann der Sprechsituation angepasst werden. Wer auf der Bühne vor einem großen Publikum steht, muss zwangsläufig anders sprechen als jemand, der vor dem Mikrophon sitzt oder sich mit einem Bekannten unterhält. Wer vorliest oder einen gelernten Text vorträgt, konzentriert sich stärker auf die Form des Sprechens als derjenige, der in einer Diskussion ohne Vorbereitung redet. Die Unterschiede liegen nicht nur im Sprechtempo, in der Lautheit oder im Fluss des Sprechens. Sie liegen auch in der Aussprache. Je freier, ungezwungener und schneller jemand spricht, desto mehr schwächt oder reduziert er einzelne Laute, Silben oder Wörter. Dies tritt vor allem im Gespräch auf. Für Deutschlernende sind solche stark reduzierten Ausspracheformen schwer zu erlernen. Deshalb demonstrieren die Tonaufnahmen, die zu unserem Buch gehören, nur die vollen nichtreduzierten Formen und jene Reduktionen, die seit Langem auch auf der Bühne und vor dem Mikrophon üblich sind. Bei schnellerem Sprechen wird gelegentlich auch die Artikulation des Gesprächs vorgeführt.

2 Intonation

Die Intonation eines Satzes besteht aus der Akzentuierung, der Rhythmisierung, der Pausierung und der Melodisierung. Diese intonatorischen Mittel geben jeder Äußerung ein besonderes Gepräge. Sie unterscheiden das Deutsche von Äußerungen in anderen Sprachen durch einen harten hämmernden Rhythmus (musikalisch ausgedrückt: einen staccato-Rhythmus) und eine spezifische Melodieform.

Im Deutschen sind die Akzente entscheidend für die Rhythmisierung und die gesamte Aussprache. Das Deutsche ist eine stark akzentuierte oder akzentzentrierende Sprache. Die ganze Sprechenergie wird auf die Wortgruppenakzente konzentriert. Man rechnet das Deutsche deshalb auch zu den akzentzählenden Sprachen, denn es besteht die Tendenz, Wortgruppenakzente in annähernd gleichen Abständen zu wiederholen bzw. zeitlich gleich große rhythmische Gruppen zu bilden. Wortgruppen- und Satzakzente liegen im Allgemeinen nur auf solchen Silben, die in den Wörtern als Akzentstellen festgelegt sind. Die Beherrschung der richtigen Wortakzentuierung (Lektion 1) ist daher die Grundlage der Wortgruppenakzentuierung und der Rhythmisierung.

Akzentuierte Silben werden nicht nur durch größere Lautstärke, langsameres Tempo und auffällige Melodieveränderung intonatorisch herausgehoben, sie werden auch sorgfältiger artikuliert. Auf akzentlose Silben oder Wörter entfällt dagegen viel weniger Sprechenergie. Sie werden schneller und flüchtiger ausgesprochen. Deshalb werden gerade die Laute dieser Silben und Wörter oft mehr oder weniger reduziert. Aus der Verbindung von starken, energisch gesprochenen Akzentsilben und akzentlosen geschwächten Silben entsteht der typische Rhythmus des Deutschen. Die Übungen mit den rhythmischen Mustern (Lektion 2) sollen vor allem diesen Wechsel in der Sprechenergie verdeutlichen. In Abzählreimen und Kinderliedern ist dieser Rhythmus besonders gut zu erkennen. Die Lektion enthält einige solcher Abzählreime. Die Übungen zur Rhythmisierung empfehlen wir Ihrer besonderen Aufmerksamkeit. Für die Wortgruppen- und Satzakzentuierung gibt es im Deutschen feste Regeln. Der Sprecher benutzt diese Hervorhebungen, um deutlich zu machen, was für ihn wichtig ist. Dabei beachtet er die Regeln, kann sie aber seinen Absichten entsprechend verändern. Wenn er nachdrücklich viele Informationen übermitteln will, wird er langsam sprechen. Er wird zahlreiche und starke Akzente setzen und seine Äußerungen auch stärker durch Pausen gliedern. Bei einem freundlichen, mehr beiläufigen Gespräch ist dagegen das Sprechtempo schneller. Die Zahl der Pausen und Akzente ist gering. Die Akzentuierung ist eher schwach ausgeprägt. Wird ein solches Gespräch plötzlich lebhaft, dann wächst die Sprechenergie. Die Pausen werden verkürzt und unregelmäßiger verwendet. Die Akzente werden stärker und ihre Zahl wächst. Satzakzentuierung und Pausierung hängen also nicht nur von den Regeln, sondern auch von der Situation und vom Mitteilungswillen des Sprechers ab.

Pausen gliedern nicht nur komplexe Äußerungen in rhythmische Gruppen, sie hängen auch sehr eng mit der Melodisierung zusammen (Lektion 3). Insbesondere durch melodische Mittel wird unmittelbar vor Pausen angezeigt, wie die Akzentgruppen bzw. rhythmischen Gruppen zusammenhängen, ob also die Äußerung abgeschlossen ist oder fortgesetzt wird. Wie jede Sprache hat auch das Deutsche eine spezifische Sprechmelodie. Sie ist nicht so lebhaft wie in einigen romanischen oder slawischen Sprachen. Sie ist aber auch nicht so gleichförmig wie in den finnisch-ugrischen Sprachen. Sie gibt jeder Äußerung eine besondere Melodieform, die der Melodie eines Liedes gleicht. Deshalb kann man Melodieformen des Sprechens auch gut nachsummen oder nachpfeifen. Wir empfehlen Ihnen, in einigen Übungen der Lektion 3 die Beispiele nachzusummen, bevor Sie sie nachsprechen. Das ist eine gute Möglichkeit, sich die Besonderheiten eines Melodieverlaufs zu verdeutlichen. Auch die Melodisierung wird von Regeln bestimmt. Sie hängt außerdem aber vom Mitteilungswillen des Sprechers ab. Will er sich ruhig und sachlich äußern, dann ist der Melodieverlauf eher flach. Das Gesamtintervall der Melodiebewegung ist klein. Ist der Sprecher dagegen freudig erregt, ärgert er sich oder ist er zornig, dann wird das Gesamtintervall größer. Dann liegt nicht nur die letzte Akzentsilbe melodisch sehr hoch, sondern auch jede vorausgehende Melodiebewegung durchläuft dann einen größeren Tonhöhenbereich.

In diesem Zusammenhang muss auf die durchschnittliche Lautheit und die durchschnittliche Tonhöhe deutscher Sprecher verwiesen werden. Im Deutschen sprechen Männer, Frauen und Kinder mittellaut. Leises oder sehr leises Sprechen wirkt unsicher und ängstlich. Lautes und sehr lautes Sprechen wird dagegen als aufdringlich, unhöflich oder unkultiviert beurteilt. Es wird im Allgemeinen mit kräftiger, lockerer und normal tiefer Stimme gesprochen. Auch Frauen steigern ihre Tonhöhe nicht. Zwischen der Melodisierung bei Männern und Frauen bestehen keine auffälligen Unterschiede.

3 Vokale

Die deutsche Sprache gehört zu den vokalreichen Sprachen. Sie hat 16 Vokale und 3 Diphthonge. Hinzu kommt, dass der Konsonant /r/ in einigen Lautumgebungen als Vokal gesprochen wird. In den einzelnen Lektionen werden die Vokale meist paarweise behandelt. Neben der Beschreibung ihrer Bildung werden die Zeichen für die phonetische Transkription vorgestellt.

Quantität + Spannung	**Artikulationsstelle (Richtung der Zungenhebung)**			
	vorn		**zentral**	**hinten**
kurz + ungespannt **lang + gespannt**	ɪ (M**i**tte) iː (M**ie**te)	ʏ (F**ü**ller) yː (F**üh**ler)		ʊ (R**u**m) uː (R**uh**m)
kurz + ungespannt **lang + gespannt** **lang + ungespannt**	ɛ (B**e**tt) eː (B**ee**t, s**eh**en) ɛː (s**ä**en)	œ (H**ö**lle) øː (H**öh**le)		ɔ (Sch**o**tte) oː (Sch**o**te)
reduziert (unbetont)			ə (eh**e**) ɐ (**er**, eh**er**)	
kurz **lang**			a (St**a**dt) aː (St**aa**t)	
	ungerundet	**gerundet**	**ungerundet**	**gerundet**
Lippenrundung				

Die deutschen Vokale lassen sich wie folgt charakterisieren:
- Sie werden vorn, in der Mitte (zentral) und hinten im Mund gebildet.
- Mit der Vorderzunge werden zwei Vokalreihen artikuliert: 1. Vokale ohne Lippenrundung, das sind die I-Laute und die E-Laute, 2. Vokale mit Lippenrundung, das sind die Ü-Laute und die Ö-Laute.
- Mit der Hinterzunge werden die U-Laute und die O-Laute gebildet. Auch sie sind gerundet.
- Die bisher genannten Vokale treten paarweise auf. Jedes Paar besteht aus einem langen und einem kurzen Vokal. Mit Ausnahme der A-Laute ist bei den langen Vokalen im Vergleich zu den dazugehörigen kurzen
  - die Spannung insgesamt größer,
  - die Zunge etwas stärker gehoben,
  - der Unterkiefer etwas weniger gesenkt,
  - die Mundöffnung etwas kleiner.

Man bezeichnet die langen Vokale deshalb als gespannt. Im Gegensatz dazu nennt man die kurzen Vokale ungespannt.

- Die Zunge kann flach im Mund liegen; sie kann mittelhoch oder hoch aufgewölbt sein. Liegt die Zunge flach im Mund, dann entstehen die A-Laute. Bei ihnen wird nur ein langes und ein kurzes A unterschieden. Ist sie hoch aufgewölbt, dann entstehen I-, Ü- und U-Laute. Die restlichen Vokale werden mit mittlerer Zungenhebung gebildet.
- Zu den E-Lauten gehört auch das *lange* ungespannte E. Im Gegensatz zum *kurzen* ungespannten E wird es mit geringerer Zungenaufwölbung und größerer Mundöffnung gebildet.
- Mit mittelhoher Mittelzunge werden nur der Schwa-Laut [ə] (Murmelvokal) und das vokalisierte R [ɐ] gebildet. Dieser Vokal [ɐ], der für den Konsonanten /r/ nach langen Vokalen und in den Vorsilben *er-, her-, ver-, zer-* sowie in der Endung *-er* jeweils für *er* verwendet wird, liegt zwischen den A-Lauten, dem Schwa und den O-Lauten.

Mit Ausnahme des Schwa-Lautes und des vokalisierten R treten alle Vokale in akzentuierten und in akzentlosen Silben auf. In akzentuierten Silben können die langen Vokale gedehnt werden. Enthalten akzentuierte Silben kurze Vokale, wird die Silbe im Ganzen gedehnt, nicht nur der Vokal. Der Kontrast kurz-lang bleibt also in allen Silben erhalten. In akzentlosen Silben wird häufig reduziert. Lange Vokale verlieren zuerst an Länge, werden dann zu ungespannten Vokalen und in manchen Wörtern auch zum Schwa-Laut. Kurze Vokale werden zum Schwa-Laut reduziert und können in einigen Wörtern dann auch entfallen. Diese Reduzierungen erfolgen vor allem bei den meist nicht akzentuierten sinnschwachen Wörtern (Funktionswörter) wie Artikeln, Präpositionen, Pronomen usw. Die volle Form [deːm] für den Artikel *dem* kann so zu [dem] oder [dɛm] oder [dəm] geschwächt werden. Der Schwa-Laut tritt nur in akzentlosen Silben auf, vor allem in Vorsilben und in den Endungen *-en* und *-el*. In diesen Endungen fällt er nach Plosiven und Frikativen meistens aus. Dabei wird das [n] und das [l] silbisch gesprochen. Die Wörter *hassen* und *Sattel* bleiben also zweisilbig, obwohl der Schwa-Laut fehlt. Nach den Plosiven [p] und [b] wird der Nasal außerdem zu [m] angeglichen, nach den Plosiven [k] und [g] zu [ŋ]; *ha<u>ben</u>* wird so zu [bm̩], *Ha<u>ken</u>* zu [kŋ̍].
Die Unterscheidung von langen und kurzen Vokalen ist für das Deutsche besonders charakteristisch und muss immer beachtet werden. Dabei kann die Schreibung helfen. Mit ihrer Hilfe können auch die Silbengrenzen bestimmt werden, von denen die Aussprache sehr oft abhängt. Bei der Trennung eines Wortes in Silben müssen einfache (nicht zusammengesetzte) und zusammengesetzte Wörter unterschieden werden. Für die Silbentrennung in einfachen Wörtern gelten vor allem folgende Regeln:

- Steht in einfachen Wörtern ein Konsonantenbuchstabe zwischen Vokalen, liegt die Silbengrenze vor dem Konsonanten; dies gilt auch für die Buchstabenverbindungen *ch, sch, ck, rh, th,* wenn sie für einen Konsonanten stehen: *Bü – cher*. Die vorausgehende Silbe endet damit auf Vokal; sie wird als offen bezeichnet: *ha – ben*.
- Stehen in einfachen Wörtern zwei Konsonantenbuchstaben zwischen Vokalen, liegt die Silbengrenze zwischen den Konsonanten; die vorausgehende Silbe wird als geschlossen bezeichnet: *kom – men, hal – ten*.
- Folgen zwei Vokale aufeinander, die nicht für einen Diphthong stehen, liegt eine Silbengrenze zwischen ihnen: *The – ater*.

Zusammengesetzte Wörter und Wörter mit Vor- oder Nachsilben werden dagegen zwischen ihren Bestandteilen getrennt: *Schul – hof, Zug – ende, Renn – auto, Zusammen – arbeit*. Zusätzlich kann jedoch auch in jedem Bestandteil getrennt werden: *Zu – sam – men – ar – beit*.

Die Lektionen zu den Vokalen enthalten die wichtigsten Hinweise zum Verhältnis von Schreibung und Aussprache. Diese Hinweise werden im Folgenden ergänzt:

Der Vokal ist lang zu sprechen,

- wenn er in einer offenen Silbe steht: *re – den, La – ger, Stra – ße*. Dies gilt auch, wenn das Wort mit einem Konsonanten endet, bei Flexion aber eine offene Silbe entsteht: *Weg* [veːk] weil *We – ge, schön* weil *schö – ner*. Ausnahmen sind zu beachten, wenn dem Vokalbuchstaben die Buchstaben *ch, sch, st* oder *x* folgen; langer Vokal wird z. B. gesprochen in *Ku – chen, Du – sche, trö – sten* (nur gesprochen; das geschriebene Wort wird so getrennt: *trös – ten*); kurzer Vokal dagegen in *Kü – che, spre – chen, wa – schen, Fi – sche, He – xe, mi – xen*. Bei flektierten oder abgeleiteten Formen muss entweder von der Grundform oder von den flektierten Formen des Wortes ausgegangen werden; deshalb langer Vokal in: *(du) fr**a**gst, **Ra**tsherr, halbw**e**gs*, weil *fra – gen, (dem) Ra – te, (des) We – ges*;
- wenn für ihn ein Vokalbuchstabe plus Dehnungs-H geschrieben wird; z. B. *fahren, ihm, Schuhe*;
- wenn für ihn ein Doppelbuchstabe geschrieben wird, z. B. *Saat, Meer, Boot*;
- wenn für [iː] die Buchstaben *ie* oder *ieh* geschrieben werden, z. B. *sie, Vieh*;
- wenn der Vokalbuchstabe am Wortende steht, z. B. *Kino, Klima, Amerika*;
- wenn in einsilbigen unveränderbaren Wörtern dem Vokalbuchstaben nur ein Konsonantenbuchstabe folgt, z. B. *dem, den, er, wer, für, vor, schon*; hierzu gibt es allerdings zahlreiche Ausnahmen, z. B. mit kurzem Vokal *es, was, mit, an, ab*.

Der Vokal ist kurz zu sprechen,

- wenn ein folgender Konsonant mit Doppelbuchstaben geschrieben wird, z. B. *kommen, hatten*;
- wenn dem Vokalbuchstaben innerhalb des Wortstamms (in den folgenden Beispielen unterstrichen) zwei oder mehr verschiedene Konsonantenbuchstaben, *ck* oder *x* folgen, z. B. *Kälte, helfen, Finger, kämpfen, Kasten, Zucker, faxen* (über die Regelung bei nachfolgendem *ch, chs, sch* siehe oben);
- wenn der Vokalbuchstabe in offenen nichtakzentuierten Silben von Fremdwörtern steht: *Ph**i**-**lo**-**so**-phie, **Re**-**pu**-blik*.

4 Konsonanten

Das Deutsche hat drei Paar Plosive (Verschlusslaute), fünf Paar Frikative (Reibelaute), drei Nasale, den Liquid (Fließlaut) [l] und den Hauchlaut [h]:

	Artikulationsstelle					
Artikulationsart	**labial**	**dental**	**alveolar**	**palatal**	**velar**	**laryngal**
plosiv fortis lenis	 p (O**p**er) b (O**b**er)		 t (Li**t**er) d (Lie**d**er)		 k (Ec**k**e) g (E**gg**e)	
frikativ						
fortis lenis	f (**F**eld) v (**W**elt)	s (rei**ß**en) z (rei**s**en)	ʃ (Ta**sch**e) ʒ (Ra**g**e)	ç (Bü**ch**er) j (**J**ahr)	x (Bu**ch**) ʁ (**R**ose)	 h (**H**erz)
nasal	m (**M**ann)	n (**N**ame)			ŋ (Ri**ng**)	
liquid		l (**L**ied)				

Bei den Plosiven und Frikativen gibt es Konsonantenpaare. Dabei stehen sich stark gespannte Konsonanten mit stärkerem Geräusch (fortis, immer stimmlos) und schwach gespannte Konsonanten mit schwächerem Geräusch (lenis, stimmhaft oder stimmlos) gegenüber. In den einzelnen Lektionen wird die Bildung der Konsonanten beschrieben. Es werden einige Ausspracheregeln angeführt. Außerdem werden die Zeichen für die phonetische Transkription vorgestellt.

Einige Probleme der deutschen Konsonanten werden im Folgenden besprochen:

- Der Unterschied zwischen [p] und [b] usw. wird häufig als ein Unterschied zwischen stimmlosen und stimmhaften Konsonanten bezeichnet. Dies entspricht nicht den Aussprachegewohnheiten in der Standardaussprache. Die Laute [b d g] werden stimmlos gesprochen, wenn eine Pause oder ein stimmloser Konsonant vorausgeht (z. B. ***d**u, das **B**ad*). Auch [v z j] werden nach stimmlosen Konsonanten stimmlos gesprochen (z. B. *Aus**w**eis, weg**s**ehen*); nach einer Pause können sie aber auch stimmhaft sein. Volle Stimmhaftigkeit ist bei den angeführten Konsonanten nur vorhanden, wenn stimmhafte Laute (Vokale, Nasale, Liquide) vorausgehen (z. B. *mein **B**rot, du **g**ehst, man **s**agt, sie **w**eiß*). Die Stimmhaftigkeit ist also von der Lautumgebung abhängig. Bei dieser Angleichung bestimmt der vorausgehende Laut die Qualität des folgenden Lautes. Dabei setzt sich im Deutschen die Stimmlosigkeit durch. Man spricht deshalb von einer Stimmlosigkeitsassimilation.
- Das R wird in dieser Aufstellung als Frikativ, also als Reibe-R eingeordnet. So ist es auch in unseren Tonaufnahmen zu hören. Ein gerolltes oder vibrierendes R, meist ein Zäpfchen-R, wird oft in Süddeutschland sowie in Österreich und in der Schweiz verwendet. Im nord- und mitteldeutschen Bereich findet sich dagegen fast ausschließlich das Reibe-R. Vor

allem hier wird nach langen Vokalen das R zu einem Vokal reduziert, der im Vokalviereck zwischen den Vokalen [a ə ɔ] steht. Dieses „vokalische" R verändert den Klang des vorausgehenden langen Vokals wie in einem Diphthong, das heißt, es verschmilzt mit diesem und tritt nicht selbstständig auf. In der Umschrift wird es deshalb halbhoch gesetzt, z. B. *Tür* [tyːᵊ]. In den Vorsilben *er-, her-, ver-, zer* und in der Endung *-er* wird das R ebenfalls vokalisch aufgelöst und verschmilzt mit dem Vokal. Es entsteht ein Vokal, der als Kern einer Silbe zu hören ist, z. B. *Vertreter* [fɐ'treːtɐ].

- In der oben angeführten Darstellung fehlen die Affrikaten [pf] und [ts]. Sie werden hier nicht als selbstständige Laute, sondern als Lautverbindungen zwischen Plosiven und Frikativen aufgefasst. Solche Verbindungen gibt es noch mehr. Hier müssen auch [ks] (z. B. in *He**x**e, wa**chs**en, Ke**ks**, Kna**cks**, unterwe**gs***) und [kv̩] (z. B. in ***Qu**elle, be**qu**em*) angeführt werden. Auch [ps] (z. B. in ***Ps**ychologie, **Ps**eudonym*), [tʃ] (z. B. in *Pei**tsch**e, kla**tsch**en*) und andere wären zu nennen.

- Das [l] ist in der Übersicht als seitlicher Engelaut dargestellt worden. Es wird damit nicht beschrieben, welche Klangvorstellung in der Standardaussprache vorherrscht. In einigen Umgangssprachen wird ein dunkler, weit hinten (velar) gebildeter Laut beobachtet. In der Standardaussprache muss jedoch immer ein heller und weit vorn artikulierter Laut gesprochen werden.

Auch die Aussprache der Konsonanten kann weitgehend aus der Schreibung erschlossen werden. Die Lektionen enthalten entsprechende Hinweise. Diese werden hier mit Regeln ergänzt. Im Einzelnen ist Folgendes zu bedenken:

- Charakteristisch für das Deutsche ist die sogenannte Auslautverhärtung. Die Buchstaben *b, d, g, v* und *s* werden am Wort- und Silbenende nicht als Lenis-, sondern als Fortiskonsonanten gesprochen, z. B. *Verb, üblich, Rad, kindlich, Weg, genügsam, brav, nervlich, Haus, Weisheit.*

- Die Endung *-ig* wird in der Standardaussprache nicht mit [k] sondern mit [ç] gesprochen, z. B. *wenig, richtig, Käfig*. Ein [g] muss artikuliert werden, wenn das Wort erweitert wird, z. B. *wenige, richtige, Käfige*. Im süddeutschen Bereich wird diese Endung jedoch vorwiegend als [ɪk] gesprochen.

- Der Laut [ŋ] wird in der Schrift mit den beiden Buchstaben *ng* wiedergegeben, vor *k* im gleichen Morphem auch nur mit *n* (z.B. *krank*). Er ist bei Schreibweise <ng> immer als Nasal ohne [g] oder [k] zu sprechen, z. B. *lange, eng, ängstlich, Ring*. Diesem Laut darf nur dann ein Plosiv folgen, wenn die Schreibung an Wortgrenzen ein *n + g* oder innerhalb des Wortstamms ein *k* vorsieht, z. B. *ungenau, trinke*. Es gibt wenige Ausnahmen (wie *Ingo, Tango*), in denen [ŋg] gesprochen wird.

- Der Buchstabe *h* steht einerseits für den Hauchlaut und andererseits für ein Dehnungszeichen. Als Hauchlaut darf das H nur gesprochen werden, wenn es am Silbenanfang vor einem Vokal steht, z. B. ***h**aben, vor**h**alten, Ge**h**eimnis, Wahr**h**eit*. Wird das H dagegen als Dehnungszeichen gebraucht und gehört zum Wortstamm, so ist es stumm, auch wenn es bei Silbentrennung die Silbe eröffnet und damit vor Vokal steht, z. B. *se**h**en* (obwohl *se – hen*), *Ru**h**e* (obwohl *Ru – he*).

- In der Lektion 20 wird der Hauchlaut [h] dem Vokalneueinsatz gegenüber gestellt. Mittels dieses phonetischen Gegensatzes werden Wörter wie *Halt – alt, Hund – und, hoffen – offen* unterschieden. Neueinsatz bedeutet, dass ein Wort oder eine Silbe nicht an die vorausgehenden Laute gebunden wird, sondern dass der Sprecher neu beginnt. Der Neueinsatz (Zeichen: |) zeigt folglich eine Wort- oder Silbengrenze an: *viel | enger* (ohne Neueinsatz würde man *viel‿länger* verstehen), *The | ater*. Der Neueinsatz tritt bei Vokalen am Wort- oder Silbenanfang in zwei Formen auf, als Glottisplosiv bzw. Kehlkopfknacklaut (Transkriptionszeichen: [ʔ], hier Zeichen: |) und als weicher Einsatz, das heißt als sanftes Einsetzen der Stimmlippenschwingungen (für das es kein Zeichen gibt). Der Glottisplosiv, den man als leises Sprenggeräusch hört, wird häufiger in akzentuierten Silben und besonders bei lautem nachdrücklichem Sprechen verwendet, z. B. *Achtung*. In anderen Fällen fehlt dieses Sprenggeräusch. Die am Wort- oder Silbenanfang stehenden Vokale werden dann ohne Bindung an vorausgehende Laute neu eingesetzt, das heißt, nach einer kurzen Unterbrechung beginnt die Stimmgebung mit einem sanften Anlauf, z. B. *am‿Rhein | ufer.*

Wir hoffen, dass Ihnen dieser kurze Überblick beim Umgang mit unserem Buch hilft. Wir haben uns bemüht, alles aufzunehmen, was Sie für die Übungen benötigen. Kurze Erklärungen zu den phonetischen Begriffen finden Sie im Anschluss. Falls Sie sich gründlicher mit der Phonetik der deutschen Sprache beschäftigen wollen, empfehlen wir Ihnen die ausführliche und mit Klangbeispielen versehene Darstellung in der **Phonothek interaktiv** (CD-ROM).

Phonetische Begriffe – kurz erläutert

Affrikate – enge Verbindung von Plosiv und Frikativ mit Lautangleichung. Ursprünglich zählen zu den Affrikaten nur diejenigen Lautverbindungen, bei denen die beteiligten Laute jeweils an der gleichen Artikulationsstelle gebildet werden, also [pf] und [ts]. Aber auch [ks], [ps] und andere Verbindungen von Plosiv und Frikativ sind eng und zeigen solche Lautangleichungen.

Akzent, Akzentuierung – Hervorhebung (Betonung) durch phonetische (intonatorische) Auszeichnung, ↗ Wortakzent, Wortgruppenakzent

Akzentgruppe – inhaltlich zusammengehörige Wortgruppe (bzw. auch ein mehrsilbiges Wort), die aus einer Akzentsilbe und einer oder mehreren vorangegangenen bzw. nachfolgenden nichtakzentuierten Silbe(n) besteht. ↗ rhythmische Gruppe

akzentzählend – Bezeichnung für Sprachen, deren Sprechrhythmus vor allem durch drei Merkmale bestimmt wird: 1. durch starke Wortgruppenakzente, 2. durch die Tendenz, die rhythmischen Gruppen bzw. Akzentgruppen annähernd zeitgleich zu halten, und 3. durch Lautreduzierungen in den akzentlosen Silben. Die Reduzierung der akzentlosen Silben ist die Voraussetzung dafür, dass die Wortgruppenakzente in annähernd zeitgleichen Abständen hervorgebracht werden können. Das Deutsche gehört zu den akzentzählenden Sprachen. ↗ Rhythmus; Gegensatz: ↗ silbenzählend

Allophon – Realisierungsvariante eines ↗ Phonems. Jedes Phonem hat mehrere Allophone, die dadurch entstehen, dass ein Phonem in verschiedenen Lautumgebungen und unter verschiedenen intonatorischen Bedingungen realisiert wird, z. B. gibt es stimmhafte und stimmlose Lenisplosive und -frikative, ein anderes Beispiel sind die R-Realisationen. Jede Lautumgebung beeinflusst einen Laut auf spezifische Weise. Außerdem wirkt sich aus, ob die Silbe, zu der der Laut gehört, akzentuiert oder akzentlos ist. Laute in Akzentsilben werden im Deutschen viel präziser als in akzentlosen Silben artikuliert. ↗ Artikulation, Assimilation, Lautreduzierung

Anlauf – Verlauf der Sprechmelodie in einer Äußerung bis zur letzten Akzentstelle. Die Form des Anlaufs ist abhängig von der Zahl und Lage der Akzentstellen. ↗ Endlauf, Intonation

Artikulation – Bewegung der Artikulationsorgane zur Erzeugung von Äußerungen. Zu den Artikulationsorganen zählen die Lippen, die Zähne, die Zunge, der harte und der weiche Gaumen sowie die Stimmlippen. Die Bewegungen dieser Organe erfolgen fließend, kontinuierlich und können kaum unterteilt werden. Für die Artikulation eines Lautes sind meist nicht alle Artikulationsorgane notwendig. Die nicht direkt beteiligten Organe haben deshalb oft noch die Einstellung für die vorausgehenden Laute, oder sie bereiten die folgenden Laute vor. Im Wort *Tor* ist für [t] nur die Verschlussbildung im Mundraum erforderlich. Die Lippen stellen sich folglich bereits auf das [oː] ein und wölben sich vor. Das Sprenggeräusch des Plosivs hat demzufolge einen dunklen Beiklang. ↗ Assimilation

Aspiration – ↗ Behauchung

Assimilation – Angleichung der Laute während der Artikulation. Es gibt mehrere Arten der Assimilation. Bei der progressiven Assimilation beeinflusst ein Laut den oder die folgenden Laut(e), z. B. geht die Stimmhaftigkeit des [z] nach [k] in *weg**s**ehen* verloren (vorwärts wirkende Lautangleichung). Beeinflusst ein Laut dagegen einen vorausgehenden Laut, spricht man von regressiver Assimilation (rückwärts wirkende Lautangleichung). Als

Totalassimilation bezeichnet man einen Vorgang, bei dem ein Laut oder eine Lautgruppe ausfällt (Elision), die Artikulation der ausgefallenen Laute aber die Nachbarlaute beeinflusst.

Auslautverhärtung – am Wort- und Silbenende Verhärtung der Leniskonsonanten [b d g v z] zu den entsprechenden Fortiskonsonanten [p t k f s]: *(er) le**b**te, Hau**s**.* Bei Verschiebung der Silben- oder Wortgrenze durch Flexion entfällt die Verhärtung: *le**b**en, Häu**s**er.*

Behauchung – Erzeugung eines deutlichen Sprenggeräuschs bei den Fortisplosiven. Bei der Sprengung des Verschlusses wird die angestaute Ausatmungsluft mit einem verstärkten kräftigen Hauchgeräusch herausgepresst. ↗ Plosive

Bestimmungswort – Teil eines Kompositums, das ein Grundwort näher bestimmt ↗ Grundwort, Komposita

Dialekt – in einer kleineren Region des Sprachgebiets gebrauchte Variante der Sprache. Die Dialekte sind ursprüngliche ältere Formen der Sprache. Ein Dialekt wird im Allgemeinen nur mündlich gebraucht. Er unterscheidet sich lexikalisch, grammatisch und stilistisch stark von der Standardsprache, der ↗ Schriftsprache. Auch die Ausspracheformen der Dialekte weichen stark von den Ausspracheformen der Standardaussprache ab.

Diphthonge – Zwielaute; enge Verbindung von zwei kurzen Vokalen, die innerhalb einer Silbe wie ein langer Vokal verwendet werden. Dabei gleiten die Artikulationsorgane von der Stellung für den ersten Vokal stufenlos in die Stellung für den zweiten Vokal. Das Deutsche hat nur „fallende" Diphthonge, das heißt, der erste Vokal wird mit größerer Lautheit gebildet als der zweite Vokal. Bei „steigenden" Diphthongen hat der zweite Vokal größeres Gewicht.

distinktiv – bedeutungsunterscheidend, vor allem für die Bewertung der Lautmerkmale verwendet. Merkmale sind distinktiv, wenn sie dazu beitragen, Phoneme zu unterscheiden. Unterscheiden sie nur die Sprechlaute (↗ Allophone) für ein Phonem, dann werden sie als irrelevant (unbedeutend) bezeichnet, weil sie für die Phonemunterscheidung keine Bedeutung haben.

Elision – Ausfall eines Lautes oder einer Lautgruppe. ↗ Artikulation, Assimilation

Endlauf – Verlauf der Sprechmelodie in einer Äußerung von der letzten Akzentstelle an, Fortsetzung des ↗ Anlaufs. Der Endlauf zeigt an, ob eine Wortfolge abgeschlossen (fallende Melodie) oder nicht abgeschlossen ist (schwebende Melodie), ob sie eine Aussage (fallende Melodie) oder eine Frage darstellt (steigende Melodie). Außerdem ist am Endlauf zu erkennen, ob der Sprecher sachbetont (Bevorzugung der fallenden Melodie in allen Äußerungen, auch bei Fragen) oder kontaktbetont (Bevorzugung der steigenden Melodie, auch bei kurzen Aussagen), mit wenig Emotion (kleiner Melodiefall oder kleine Melodieintervalle) oder mit viel Emotion (großer Melodiefall oder große Melodieintervalle) spricht. ↗ Intonem, terminal, progredient, interrogativ

Fließlaute – ↗ Liquide

fortis – stark gespannt. Bei der Bildung von Plosiven und Frikativen deutliche Anspannung der Artikulationsmuskulatur, was zu einem kräftigen Explosionsgeräusch (bei Plosiven ↗ Behauchung) oder einem kräftigen Reibegeräusch (bei Frikativen) führen kann. Wegen des kräftigen Ausatmungsstroms bei der Geräuschbildung sind die so artikulierten Konsonanten stimmlos. Gegensatz: ↗ lenis.

Fortiskonsonanten – ↗ fortis

Frikative – Konsonanten, die durch spezifische Reibegeräusche gekennzeichnet sind. Die jeweiligen Geräusche entstehen durch die Ausatmungsluft in einer Enge, die an verschiedenen Artikulationsstellen gebildet wird. Das Geräusch kann kräftig (Fortis-Frikative) oder schwach sein (Lenis-Frikative). Das Deutsche hat fünf Paar Frikative. Die Lenis-Frikative treten stimmhaft und stimmlos auf. ↗ Stimmhaftigkeit, Stimmlosigkeitsassimilation.

geschlossene Silbe – ↗ offene Silbe, Silbe

gespannte Vokale – Im Unterschied zu den ungespannten Vokalen werden die gespannten Vokale mit etwas geringerer Mundöffnung, etwas stärkerer Hebung des Zungenrückens und etwas gespannter Artikulationsmuskulatur gebildet. Dies bewirkt einen deutlichen Klangunterschied zwischen den gespannten und den entsprechenden ungespannten Vokalen. Für die Standardaussprache ist dieser Unterschied charakteristisch. Mit Ausnahme des langen ungespannten [ɛː] sind im Deutschen die langen Vokale gespannt. Die ungespannten Vokale sind kurz. In Pronomen, Artikeln, Präpositionen und Konjunktionen, die einen langen gespannten Vokal enthalten, wird der Vokal oft gekürzt oder als kurzer ungespannter Vokal gesprochen. Das geschieht, wenn diese meist nichtakzentuierten Wörter schnell gesprochen werden. ↗ Vokal

Gliederung – Zerlegung eines Satzes oder eines Textes in sinnvolle Abschnitte, meist mit Hilfe von Pausen, aber auch durch Änderungen in Sprechmelodie, Sprechtempo und Lautheit. Für die Gliederung bestehen Regeln, die für die jeweilige Sprache spezifisch sind. Sie werden durch die Sprechabsicht variiert. Je langsamer und nachdrücklicher gesprochen wird, desto größer ist die Zahl und Länge der Pausen. Beim Sprechen ohne Manuskript treten häufig auch deshalb Pausen auf, weil es Schwierigkeiten bei der Planung oder Verbalisierung gibt. Solche Verzögerungspausen sind nicht immer sinnvoll, sie werden aber meist als normal empfunden und helfen den Hörenden, Gesprochenes zu verstehen. ↗ Intonation

Grundwort – Ausgangswort für eine besondere Art von zusammengesetzten Wörtern (↗ Komposita). In diesen Komposita wird das Grundwort durch ein zweites Wort, das Bestimmungswort, näher bestimmt. Oft wird das Grundwort durch das Bestimmungswort in seiner Bedeutung eingeengt: *Tür* (Grundwort) + *Haus* (Bestimmungswort) = *Haustür.*

Hauchlaut – Bezeichnung für den Konsonanten [h], der im Kehlkopf als Hauchgeräusch gebildet wird.

Hauptakzent – In einem zusammengesetzten Wort (↗ Komposita) oder in einer zusammenhängend realisierten Wortgruppe erhält eines der beteiligten Wörter den Hauptakzent. Es wird stärker hervorgehoben als die anderen Wörter, die entweder unbetont sind oder nur einen Nebenakzent erhalten.

interrogativ – fragend. Oft Bezeichnung für den steigenden Melodieverlauf am Ende einer Wortfolge. Dieser Melodieverlauf zeigt an, dass eine Äußerung als Frage verstanden werden soll. Er wird aber meist nur für Ja-Nein-Fragen (Entscheidungsfragen) verwendet. Zusätzlich findet er sich in Äußerungen, die freundlich und verbindlich gemeint sind. Fragen mit Fragewort (W-Fragen) enden im Allgemeinen mit einer fallenden Melodie. Auch Ja-Nein-Fragen werden mit einer fallenden Melodie abgeschlossen, wenn sie unfreundlich, entschieden oder betont sachlich klingen sollen. ↗ Intonation, Intonem

Intonation, intonatorische Mittel – Gesamtheit der phonetischen Mittel, die eine Wortfolge zu einem Ganzen formen und auch einen Text gliedern. Diese Mittel sind die Sprechmelodie, die Lautheit, das Sprechtempo und die Pausen. In einer Äußerung charakterisiert die Intonation vor allem die Akzentstellen und das Ende von Wortfolgen bzw. Teiläußerungen. Sie zeigt an, ob eine Wortfolge abgeschlossen oder nicht abgeschlossen ist, ob sie als Aussage oder als Frage zu verstehen ist und ob der Sprecher abweisend oder freundlich, sach- oder gefühlsbetont sprechen will. Im Text macht die Intonation deutlich, wo die Abschnittsgrenzen liegen, welches Gewicht die einzelnen Abschnitte haben und ob ein Sprecher das Wort behalten oder abgeben will. ↗ Intonem, Endlauf, terminal, progredient, interrogativ

Intonem – Bezeichnung für die Intonationsmuster im ↗ Endlauf der Sprechmelodie einer Wortfolge. ↗ Intonation, terminal, interrogativ, progredient

Kehlkopfknacklaut (Glotttisplosiv) – ↗ Neueinsatz

Komposita – zusammengesetzte Wörter. Komposita können aus zwei oder mehr Gliedern bestehen. Man unterscheidet Komposita aus ↗ Grundwort und Bestimmungswort (Determinativkomposita), z. B. *Schlafzimmer*, und Aneinanderreihungen von gleichrangigen Wörtern (Kopulativkomposita), z. B. *Hans-Jürgen*. Die Art der Zusammensetzung entscheidet über die Akzentuierung. Der ↗ Hauptakzent liegt in Kopulativkomposita auf dem letzten Glied, in Determinativkomposita aus Grund- und Bestimmungswort auf dem Bestimmungswort. Das Grundwort hat, sofern es mehrsilbig ist, einen Nebenakzent; in drei- oder mehrteiligen Determinativkomposita haben auch die anderen mehrsilbigen Glieder einen Nebenakzent. z. B. *Straßenbahnhaltestelle*

Konsonant – Sprachlaut, der sich nach der Bildung, dem Klang und der Verwendung von einem Vokal unterscheidet. Verschluss- und Engebildung im Mund sind die kennzeichnenden Artikulationsmerkmale. Zu den Konsonanten zählen die nur mit Geräusch gebildeten Laute (stimmlose Plosive und Frikative sowie der Hauchlaut), die mit Klang und Geräusch gebildeten Laute (stimmhafte Plosive und Frikative) und Konsonanten, die nur mit Klang gebildet werden (Nasale, Liquide). Konsonanten können im allgemeinen ohne Vokal keine Silbe bilden. ↗ Plosive, Frikative, Nasale, Liquide, Silbe

Konsonantenhäufungen – Kombinationen von Konsonanten, die entweder zum Wortstamm gehören oder durch Flexion beziehungsweise Zusammensetzung entstehen: *kä**mpf**en, (du) kä**mpfst**, Ka**mpfpl**atz*. Zahl und Art dieser Konsonantenhäufungen sind für das Deutsche besonders charakteristisch. Sie erfordern vom Lernenden meist große Aufmerksamkeit.

Laut (Sprechlaut) – kleinstes Element gesprochener Sprache. Wird ein Wort gesprochen, so werden seine ↗ Phoneme mit Sprechlauten wiedergegeben – die Phoneme werden „realisiert". Bei der Realisierung werden aufeinanderfolgende Sprechlaute aneinander angeglichen, je nach der Lautumgebung verändert sich die Aussprache. ↗ Assimilation

Laut-Buchstaben-Beziehungen – Regelsystem für die schriftliche Wiedergabe der Laute mit Hilfe von Buchstaben. Dieses Regelsystem ist sprachspezifisch. Es gibt Sprachen (z. B. das Finnische), in denen für einen Laut meist nur ein Buchstabe (oder eine Buchstabenverbindung) zur Verfügung steht. Im Deutschen gibt es für die meisten Laute zwei oder mehr Wiedergabemöglichkeiten (z. B. für [v] die Buchstaben <v, w> *Vera, Walther*). Im Englischen sind die Beziehungen noch komplizierter. Hier können manche Laute mit fünf und mehr verschiedenen Buchstaben oder Buchstabenverbindungen ausgedrückt werden. ↗ Laut, Phonem

Lautreduzierung – Abschwächung der Artikulationsmerkmale für einen Laut, meist unter dem Einfluss anderer Laute und abhängig von der Akzentuierung. Lautreduzierungen können verschieden stark sein und bis zum Verschwinden eines Lautes führen (Elision). ↗ Assimilation

Lautumgebung – Laute, die einem beobachteten Laut vorausgehen und ihm nachfolgen und oft Einfluss auf seine Bildung haben. Zur Lautumgebung gehören auch die Sprechpausen. Sie haben ebenfalls Einfluss auf die Lautbildung. So sind Leniskonsonanten nach Sprechpause stimmlos. ↗ Assimilation, Stimmhaftigkeit, Stimmlosigkeitsassimilation.

Lautverbindung – im engeren Sinne Bezeichnung für die ↗ Diphthonge und ↗ Affrikaten. Im weiteren Sinne wird darunter jede Lautfolge verstanden, die im Deutschen möglich ist oder für die Phonetik und den Sprachunterricht Bedeutung hat.

lenis – schwach gespannt, Gegensatz: ↗ fortis. Bei der Bildung von ↗ Plosiven und ↗ Frikativen geringe Anspannung der Artikulationsmuskulatur, so dass die Laute nur schwach geräuschhaft sind und nach stimmhaften Lauten stimmhaft werden können. Nach Sprechpause und stimmlosen Lauten sind sie aber ↗ stimmlos. ↗ Stimmhaftigkeit, Stimmlosigkeitsassimilation

Leniskonsonanten – ↗ lenis

Lippenrundung (Lippenstülpung) – Artikulationsmerkmal, das für mehrere Vokale der Standardaussprache charakteristisch ist. Betroffen sind alle mit der Hinterzunge gebildeten Vokale. Bei den mit der Vorderzunge gebildeten Vokalen gibt es zwei Reihen: eine Reihe ungerundete Vokale und parallel dazu eine Reihe mit Lippenrundung. ↗ Vokale

Liquid (Fließlaut) – im Allgemeinen Bezeichnung für die Konsonanten [l] und [r]. Da [r] aber in diesem Material als Reibe-R beschrieben wird, muss es auch zu den Reibelauten (↗ Frikativen) gezählt werden, so dass hier nur [l] als Liquid bezeichnet wird.

Literatursprache – ↗ Schriftsprache

Melodie, Melodisierung – Tonhöhenbewegung der Stimme innerhalb einer Äußerung; Hauptmerkmal der Intonation. Die Melodie ist vor allem für die Kennzeichnung der Akzentstellen und am Ende einer Wortfolge eines Satzes von Bedeutung. ↗ Intonation, Intonem, Endlauf

Minimalpaar – Gegenüberstellung von zwei Wörtern, die sich nur in einem Laut bzw. Merkmal unterscheiden. Mithilfe der Bildung von Minimalpaaren werden die Phoneme (Sprachlaute) ermittelt. Praktisch wird in einem Wort ein Laut durch einen anderen ausgetauscht. Entsteht hierbei ein neues Wort, dann können die beiden beteiligten Laute als Phoneme bewertet werden: ['baːtən] gegenüber ['boːtən]. Wird dagegen im Wort *baten* nur ein helleres A gegen ein dunkleres dialektal gefärbtes A ausgetauscht, dann entsteht kein neues Wort. Demzufolge müssen die beiden A-Laute als zwei Allophone eines Phonems bewertet werden. Minimalpaare ergeben sich auch für den suprasegmentalen Bereich, z. B. *August – August* oder *Kommen Sie mit! – Kommen Sie mit?*

Murmelvokal – ↗ Schwa-Laut

Nasale – Klanglaute, bei deren Artikulation der weiche Gaumen gesenkt ist und der im Kehlkopf gebildete Stimmklang durch die Nase strömt, wo er seinen charakteristischen nasalen Klang erhält. Die Mundpassage ist durch unterschiedliche Verschlussbildungen verlegt, wodurch der nasale Klang modifiziert wird.

Nebenakzent – ↗ Hauptakzent, Komposita

Neueinsatz – allgemein phonetisches Signal für eine Grenze zwischen Wörtern oder Silben. Im engeren Sinne wird als Neueinsatz (Zeichen: /) das Einsetzen der Stimmlippenschwingungen bei einem Vokal bezeichnet, der am Beginn einer Silbe oder eines Wortes steht und an einen vorausgehenden Vokal oder Konsonanten gebunden werden könnte: *be / **a**chten*, *(das) ess / **i**ch.* Dabei können die Stimmlippen allmählich, weich und sanft oder mit dem Verschluss der Stimmlippen und nachfolgender Sprengung (Glottisplosiv) zu schwingen beginnen. Das bei der Sprengung entstehende leise Explosionsgeräusch wird auch als Kehlkopfknacklaut bezeichnet. Es ist im Deutschen jedoch kein selbstständiger Laut. Bei langsamem und sorgfältigem Sprechen wird der Neueinsatz häufiger gebraucht, besonders wenn der Vokal zu einer akzentuierten Silbe gehört. Beim schnellen Sprechen wird er dagegen oft nicht beachtet.

offene Silbe – Silbe, die auf Vokal endet: *ha – ben*. Im Gegensatz dazu endet eine geschlossene Silbe auf Konsonant: *hal – ten*. ↗ Silbe

Pausierung – ↗ Gliederung

Phonem (Sprachlaut) – kleinstes wortunterscheidendes (bedeutungsunterscheidendes) Element des Sprachsystems. Alle Phoneme, die für eine Einzelsprache ermittelt worden sind, bilden zusammen das Phonemsystem dieser Sprache. Die Phoneme werden nach sprachspezifischen Regeln miteinander kombiniert. Für jedes Phonem gibt es mehrere Realisierungsklassen (↗ Allophone). Wird ein Wort gesprochen, so werden seine Phoneme mit ↗ Lauten (Sprechlauten) wiedergegeben.

Phonetisches Zeichen – ↗ Transkription

Plosive – Konsonanten, die durch spezifische Explosionsgeräusche gekennzeichnet sind. Die jeweiligen Geräusche entstehen durch die Sprengung eines Verschlusses, der im Deutschen an drei verschiedenen Artikulationsstellen gebildet wird. Das Sprenggeräusch kann kräftig (Fortis-Plosive) oder schwach sein (Lenis-Plosive). Das Deutsche hat drei Paar Plosive. Die Lenis-Plosive treten stimmhaft und stimmlos auf. Ist das Sprenggeräusch auffallend kräftig, so wird es als ↗ Behauchung bezeichnet. Die Fortis-Plosive werden insbesondere behaucht, wenn sie im Anlaut akzentuierter Silben und im Wortauslaut stehen: ***p**acken, **K**raft, Musi**k**, Gewal**t***. ↗ Behauchung, Stimmhaftigkeit, Stimmlosigkeitsassimilation

progredient – weiterweisend. Verwendet für den schwebenden Melodieverlauf am Ende einer Wortfolge. Dieser Melodieverlauf zeigt an, dass eine Äußerung noch nicht abgeschlossen ist und ergänzt werden soll. ↗ Intonation, Intonem, Endlauf.

Qualität – Bezeichnung für die Klang- oder Geräuschfarbe der Laute. Der Begriff Qualität wird für das Deutsche vor allem verwendet, um die Klangbesonderheiten der gespannten und ungespannten ↗ Vokale zu benennen.

Quantität – Bezeichnung für die Lautdauer

Reduktion – ↗ Lautreduzierung, Assimilation

Reibe-R – als Reibelaut (↗ Frikativ) gebildete Form des R. Statt eines Reibelautes wird im Süden des deutschen Sprachgebiets auch ein als Zungenspitzen-R mit einem Vibrieren der Zungenspitze oder ein Zäpfchen-R mit Vibrationen des Zäpfchens gebildet. Nach langen Vokalen und in den Vorsilben *er-, her-, ver-, zer-* sowie der Nachsilbe *-er* wird das R vokalisiert, das heißt, statt eines Konsonanten wird ein Vokal gesprochen. ↗ vokalisiertes R

vokalisiertes R – Mittelzungenvokal [ɐ], der im Vokalviereck zwischen [a], [ə] und [ɔ] liegt. Er wird nach langen Vokalen und in den Vorsilben *er-, her-, ver-, zer-* sowie der Nachsilbe *-er* gesprochen.

Reibelaute – ↗ Frikative

rhythmische Gruppe – inhaltlich zusammengehörige Gruppe von Wörtern zwischen zwei Sprechpausen. Die rhythmische Gruppe besteht aus mindestens einer, meist mehreren ↗ Akzentgruppen.

rhythmisches Muster – beim Sprechen häufig gebrauchte Gruppierung von akzentlosen oder akzentschwachen Silben und Wörtern um eine kräftig akzentuierte Silbe. Rhythmische Muster können mit metrischen Versmaßen verglichen werden. Die einzelnen rhythmischen Muster unterscheiden sich durch die Position des Akzentgipfels innerhalb der Silbenfolge. ↗ Rhythmus

Rhythmus, Rhythmisierung – dynamisch-temporale Gestaltung des Gesprochenen mittels der Gliederung in rhythmische Gruppen, die durch ihren Silbenumfang und die Zahl und Position der Akzente charakterisiert sind. Im Deutschen wird der Rhythmus dadurch geprägt, dass die Akzentstellen intonatorisch sehr stark ausgezeichnet werden, während die akzentlosen Silben daneben deutlich abfallen und flüchtiger artikuliert werden. Akzentlose Silben werden deshalb häufig reduziert. ↗ akzentzählend

Satzakzent, Satzakzentuierung – In Lehrbüchern oft verwendete Bezeichnung für die Betonung einzelner Wörter in der Äußerung. Günstiger ist der Bezug auf die Wortgruppe, aus denen sich längere Äußerungen zusammensetzen. ↗ Wortgruppenakzent

Schriftsprache – geschichtlich entwickelte, allgemein akzeptierte und uneingeschränkt gültige (geschriebene und gesprochene) Form der Sprache mit hohem kulturellem Anspruch. Als geschriebene Sprache ist sie vor allem durch strenge grammatische Regeln charakterisiert, die im gesamten Sprachgebiet eingehalten werden. Sie wird deshalb auch als Literatur- oder Standardsprache bezeichnet. Ihr entspricht die ↗ Standard**aus**sprache. In der Sprechkommunikation wird die Schriftsprache vielfach als ↗ Umgangssprache gebraucht. Sie nimmt dabei Besonderheiten an, insbesondere unterscheidet sich ihre Grammatik von der der geschriebenen Sprache. So werden vielfach keine korrekten Satzbaupläne erwartet und syntaktisch unvollständige Äußerungen werden akzeptiert. Auffällig an den Umgangssprachen sind vor allem die unterschiedlichen Ausspracheformen.

Schwa-Laut – Mittelzungenvokal [ə], der mit geringer Mundöffnung, halbhoch aufgewölbter Zunge und ungespannter Artikulationsmuskulatur gebildet wird. Im Deutschen wird er nur in den akzentlosen Vor- und Nachsilben verwendet und in den Endungen *-en* und *-el* häufig weggelassen. Weitere Bezeichnungen: Murmelvokal, Reduktionsvokal, reduziertes E oder Zentralvokal. ↗ Silbe

seitlicher Engelaut – Bezeichnung für den stimmhaften Konsonanten [l] der zur Gruppe der ↗ Liquide gehört. Sein Klang entsteht in einer Enge zwischen dem rechten oder linken seitlichen Zungenrand und den Backenzähnen. In der Standardaussprache muss diese Enge mehr vorn gebildet werden, sonst wird der Laut verdunkelt.

Silbe – sprecherische Gestaltungseinheit des Wortes, Element der Rhythmisierung. Eine Silbe wird an einem Lautheitsgipfel der Stimmhaftigkeit erkannt. Dieser Gipfel wird im Allgemeinen durch einen Vokal gebildet. Fällt in den Endungen *-en* und *-el* der ↗ Schwa-Laut aus, so können auch die Nasale oder der L-Laut einen solchen Lautheitsgipfel tragen und somit eine Silbe bilden. Die Silbengrenzen werden beim langsamen silbischen Sprechen erkennbar. Dieses Sprechen ist bei Kindern zu beobachten, wenn sie Abzählreime aufsagen. ↗ offene Silbe, geschlossene Silbe

silbenzählend – Bezeichnung für Sprachen, in deren Sprechrhythmus jede Silbe gleichgewichtig behandelt wird. Im Gegensatz zu den akzentzählenden Sprachen spielt in den silbenzählenden Sprachen der Unterschied zwischen akzentuierten und akzentlosen Silben eine untergeordnete Rolle. Zu den silbenzählenden Sprachen gehören z. B. das Französische und das Italienische. Gegensatz: ↗ akzentzählend

Sprachlaut – kleinstes Element des Sprachsystems, in der Sprachwissenschaft als ↗ Phonem bezeichnet. ↗ Laut

Sprechlaut – Einheit des Sprechens; in der Sprachwissenschaft als Allophon bezeichnet. Steht im Sprechprozess für die Realisation eines ↗ Sprachlauts (↗ Phonem). ↗ Laut, Artikulation, Assimilation

Sprechmelodie – ↗ Melodie, Intonation

Sprechrhythmus – ↗ Rhythmus

Standardaussprache – die als allgemeingültig, kultiviert und überall verständlich bewertete Ausspracheform für das Deutsche. Ihre Regeln sind in mehreren Aussprachewörterbüchern beschrieben worden. Sie unterscheidet sich deutlich von den Ausspracheformen der ↗ Dialekte und ↗ Umgangssprachen. Die Standardaussprache ist vor allem auf der Bühne, im Funk und Fernsehen sowie weithin in der Öffentlichkeit (zum Beispiel unter Wirtschaftsmanagern) gebräuchlich. In der Schule sowie im Fremdsprachenunterricht Deutsch ist sie das Unterrichtsziel. Im Süden des deutschen Sprachgebiets werden Varianten der Standardaussprache verwendet.

Stimmhaftigkeit – allgemein Bezeichnung für den möglichen Stimmanteil bei der Lautbildung; charakteristisch für die Klanglaute. Zu diesen zählen die Vokale, die Nasale und der L-Laut. Bei den ↗ Plosiven und ↗ Frikativen können im Deutschen nur die Lenis-Laute stimmhaft sein. Sie sind es, wenn ein Klanglaut vorausgeht: *mein **B**rot*. Geht dagegen eine Sprechpause oder ein stimmloser Laut voraus, so werden die Lenis-Frikative und die Lenis-Plosive stimmlos gesprochen: *das **B**rot*. Die Fortiskonsonanten sind immer stimmlos. ↗ Stimmlosigkeitsassimilation

Stimmlosigkeit – Abwesenheit von Stimmklang, Merkmal der Fortis-Plosive und der Fortis-Frikative.

Stimmlosigkeitsassimilation – Angleichung von Leniskonsonanten an vorausgehende stimmlose Fortiskonsonanten durch Verlust der Stimmhaftigkeit. Im Deutschen sind die Leniskonsonanten in dieser Position immer stimmlos. Es handelt sich um eine progressive Assimilation: Der vorausgehende Laut beeinflusst den folgenden Laut. Eine umgekehrt wirkende Stimmhaftigkeitsassimilation (der vorausgehende Fortis-Laut wird stimmhaft: *da**s** Brot*) ist im Deutschen fehlerhaft. ↗ Assimilation

terminal – abschließend. Verwendet für den fallenden Melodieverlauf am Ende einer Wortfolge. Dieser Melodieverlauf zeigt an, dass eine Äußerung abgeschlossen ist. ↗ Intonation, Intonem, Endlauf

Transkription – Verschriftung des Gesprochenen mit einem festgelegten Inventar phonetischer Zeichen. Ein bestimmtes phonetisches Zeichen steht immer nur für einen Laut. Im vorliegenden Material wird das System der IPA (International Phonetic Association) verwendet.

Umgangssprache – in einer größeren Region des Sprachgebiets beim Miteinandersprechen gebrauchte Variante der ↗ Schriftsprache. Lexikalisch und stilistisch weichen die meisten Umgangsprachen nur unerheblich von der Schriftsprache ab, der Satzbau aber unterscheidet sich deutlich – es werden weit mehr unvollständige und unkorrekte Sätze akzeptiert als im Geschriebenen. Besonders stark sind die Abweichungen der Ausspracheformen von der Standardaussprache. Im deutschen Sprachgebiet gibt es etwa 18 Umgangssprachen. Ihre jeweilige Ausspracheform beruht weitgehend auf den phonetischen Formen derjenigen ↗ Dialekte, die vor der Entwicklung der betreffenden Umgangssprache in deren Verbreitungsgebiet gesprochen wurden. Untereinander unterscheiden sich die einzelnen Umgangssprachen in erster Linie durch ihre Aussprache.

ungespannte Vokale – Im Unterschied zu den gespannten Vokalen werden die ungespannten Vokale mit etwas größerer Mundöffnung, etwas geringerer Hebung des Zungenrückens und etwas weniger gespannter Artikulationsmuskulatur gebildet. Dies bewirkt einen deutlichen Klangunterschied zwischen den ungespannten und den entsprechenden gespannten Vokalen. Für die Standardaussprache ist dieser Unterschied charakteristisch. Die ungespannten Vokale sind mit Ausnahme von [ɛː] kurz. ↗ Vokal

Verschlusslaute – ↗ Plosive

Vokal – Mundöffnungslaut. Die verschiedenen Vokalklänge entstehen dadurch, dass der Resonanzraum des Mundes durch die Stellung der Zunge, der Lippen und des Unterkiefers verschieden geformt wird. Im Gegensatz zu mehreren anderen Sprachen kennt das Deutsche keine Nasalvokale, die mit Beteiligung der Nasenhöhle hervorgebracht werden. Vokale sind Silbenträger. Sie können auch ohne Konsonant eine Silbe bilden: *The – **a** – ter.* ↗ gespannte, ungespannte Vokale

Vokalneueinsatz – ↗ Neueinsatz

Vokalviereck – Graphische Darstellung der Vokalartikulation. Es verdeutlicht die Bewegung des vorderen-, mittleren und hinteren Zungenrückens in Richtung auf den Gaumen. Außerdem wird der unterschiedliche Abstand zwischen Zunge und Gaumen gezeigt. Dieser Abstand hängt von der Kieferöffnung und von der Zungenlage ab. Bezüglich der Zungenlage unterscheidet man Abflachung, halbhohe Aufwölbung und hohe Aufwölbung.

weicher Einsatz – ↗ Neueinsatz

Wortakzent, Wortakzentuierung – Hervorhebung einer Silbe im Wort als Akzentstelle. Die Festlegung dieser Stelle erfolgt nach Regeln, die für jede Sprache spezifisch sind. Im Deutschen wirkt die Wortakzentuierung nur in wenigen Fällen wortunterscheidend. Der wichtigste Fall ist die Unterscheidung von trennbar und untrennbar zusammengesetzten Verben; Akzent auf der ersten Silbe: ***um**fahren (ich fahre den Baum um)* – Akzent auf der Wortstamm: *um**fah**ren (ich umfahre den Baum).* In der Äußerung wird die Akzentsilbe gegenüber den anderen Silben phonetisch abgesetzt. Sie hebt sich meist melodisch sowie durch vergrößerte Lautstärke, Dehnung und präzisere Artikulation von den benachbarten Silben ab.

Wortgruppenakzent – Hervorhebung eines Wortes in einer zusammenhängend hervorgebrachten Wortgruppe (auch Akzentgruppe). Die jeweilige Wortakzentsilbe wird gegenüber den anderen Silben phonetisch abgesetzt. Sie hebt sich meist melodisch sowie durch vergrößerte Lautstärke, Dehnung und präzisere Artikulation von den benachbarten Silben ab. Innerhalb von Wortgruppen gibt es auch Nebenakzente.

Zäpfchen-R – ↗ Reibe-R

Quellen:

S. 12: Heinz Erhardt: Urlaub im Urwald. In: Das große Heinz-Erhardt-Buch. Fackelträger-Verlag GmbH. Hannover 1970.

S. 19: Peter Hacks: Tagesablauf. In: Seydel, H. (Hrsg.), Alles Unsinn. Deutsche Ulk- und Scherzdichtung von ehedem bis momentan. Eulenspiegel Verlag Berlin 1974, S. 289.

S. 24: Roda Roda: Es gibt Tiere ... In: Seydel, H. (Hrsg.), Alles Unsinn. Deutsche Ulk- und Scherzdichtung von ehedem bis momentan. Eulenspiegel Verlag Berlin 1974, S. 240.

Robert Gernhardt: Walderkenntnis. Aus: ders., Später Spagat. © Fischer Verlag GmbH, Frankfurt am Main 2006, S. 85.

S. 29: Leo L. Szkutnik: In deutsch erlebt. Warschau 1980, S. 28.

S. 41: Johann Peter Hebel: Der vorsichtige Träumer. In: Hebels Werke in einem Band. Aufbau-Verlag Berlin und Weimar 1969, S. 110.

S. 53: Christian Morgenstern; Das ästhetische Wiesel. In: Ausgewählte Werke, Bd. 1, hrsg. v. K. Schuhmann, Gustav Kiepenheuer Verlag, Leipzig und Weimar, S. 92.

S. 68: Johann Wolfgang von Goethe: Goethe. Heidenröslein, Hexen-Einmaleins. In: Gesamtausgabe. Insel-Verlag Leipzig, o.J.

Clemens Brentano: Stecknadel und Nähnadel. In Rätsel der Weltliteratur. Hrsg. von H. Bauer. Koehler & Amelang Verlags-GmbH. Leipzig 1980, S. 48.

S. 74: Waldemar Spender: Frau Überling. In: Die Eisenbahn hat Stiefel an. Der KinderBuchVerlag Berlin 1981.

S. 80: Joachim Ringelnatz: Im Park. Diogenes Verlag Zürich.

S. 94: Kurt Schwitters: „Doppelmoppel“. Aus: Kurt Schwitters: Die literarischen Werke. Bd. 1, Lyrik © 1973. Dumont Literatur und Kunst Verlag, Köln, S. 103

Wilhelm Busch: Zwiefach sind die Phantasien. Erzählungen, Gedichte, Autobiografie. Reclam Leipzig 1979, S. 281.

Georg Christoph Lichtenberg: Aphorismen. In: Lichtenberg. Essays, Briefe. Hg. von Kurt Batt. Leipzig 1970

S. 102: Joseph von Eichendorff: Mondnacht. In: Eichendorffs Werke. Hrsg. M. Häckel. Aufbau-Verlag Berlin und Weimar 1986, S.97.

S. 107: Abraham a Santa Clara: Ein Hui und ein Pfui auf die Welt. Paul Pattloch Verlag, Aschaffenburg 1986.

S. 113: Eugen Roth: Märchen / Sprichwörtliches / Zweierlei. In: Sämtliche Menschen. Carl Hanser Verlag München 1983.

Erich Kästner: „Wieso Warum?“ Ausgewählte Gedichte © Atrium Verlag Hamburg, Zürich und Thomas Kästner.

Martin Luther: Tischreden Nr. 2179.

S. 129/130 Herluf Bidstrup: Bildgeschichte „Popularität“. In: Werner Sellhorn (Hrsg.): Das dicke Bidstrup-Buch, Berlin Eulenspiegel Verlag 1973, S. 31.

S. 143: Franz Fühmann: „In dem Zwergberg“ In: Franz Fühmann: Die dampfenden Hälse der Pferde im Turm von Babel. © Hinstorff Verlag GmbH, Rostock, 3. Auflage 2007.

Johann Wolfgang von Goethe: Hexen-Einmaleins. Faust, Teil 1. In: Gesamtausgabe. Insel-Verlag Leipzig, o.J.

S. 152: Wilhelm Busch: Zwiefach sind die Phantasien. Erzählungen, Gedichte, Autobiografie. Reclam Leipzig 1979, S. 281.

In einigen Fällen ist es uns trotz intensiver Bemühungen nicht gelungen, die Rechteinhaber zu ermitteln. Für entsprechende Hinweise wären wir dankbar.